国学经典

春秋繁露

[汉] 董仲舒 撰
叶平 注译

中州古籍出版社

春秋繁露

前 言

《春秋繁露》是西汉儒家学者董仲舒的著作。董仲舒,西汉广川(今河北枣强)人,详细生卒年月已不可考,大约生活于汉文帝至汉武帝时期(一说生卒年为约前179~前104)。汉景帝时为博士,武帝崇儒,仲舒举贤良对策,提出"罢黜百家、独尊儒术"的主张,得到了武帝的采用,对儒学成为官方哲学起到了很大的作用。董仲舒其后做胶西王相和江都王相,晚年致仕后在家以著书为事,今传世的著作有《春秋繁露》八十二篇以及三篇对策(即《天人三策》)。

顾名思义,《春秋繁露》是对《春秋》大义的一种解释和发挥。《春秋》是鲁国的史书,记载从鲁隐公元年到哀公十四年的史实,相传为孔子所删定,其后传给弟子子夏,子夏传与公羊高,《春秋公羊传》由此而得名。《公羊传》最初由口头传授,后来到汉景帝时才著之于书帛。景帝时,胡毋子都与董仲舒同治《公羊传》,后世的所谓公羊学,也就在此时兴盛起来,成为官学。董仲舒的《春秋繁露》就是他对公羊学的一种阐释。而"繁露"之名,南宋《馆阁书目》解释说是篇名,因董仲舒"说春秋事得失,闻举、玉杯、蕃露、清明、竹林之属数十篇",因此总其名为"繁露"。至于"繁露"本身的意思,《馆阁书目》说是"冕之所垂也。有联贯之象。春秋属辞比事,仲舒立名,或取诸此"。宋代疑古风气盛行,学者如陈振孙、黄震都认为《春秋繁露》不可靠,有窜入的篇目。更有甚者,程大昌说此书"辞意浅薄,间掇取董仲舒策语杂置其中,辄不相论比","固疑非董氏本书"。今传世《春秋繁露》八十二篇,应该说其中或有讹舛之处,但大部分当是真实可靠的。《四库全书》的总目提要说:"今观其文,虽未必全出于仲舒,然中多根极理要之言,非后人所能托也。"南宋中期所得罗氏兰堂本以及潘氏本,证实了《春秋繁露》自有所本,并非虚妄之作。此后嘉定三年胡槩刻印,此即为嘉定四年江右汁台本,为现今我国保存最早的《春秋繁露》版本。这也是清代最重要的武英殿聚珍本的祖本。清代还有乾隆二十六年董天工的笺注本,嘉庆凌曙注本,清末苏舆的《春秋繁露义证》以及卢文弨的校本。另外还有谭献的手抄本《董子定本》等。

《春秋繁露》全面地阐发了董仲舒的宇宙观和政治哲学、伦理思想。同时,也反映出汉武帝时代儒学的基本面貌。武帝时儒学兴起的原因主要有二:首先,由于秦法严苛引起天下大乱以及战争对社会经济造成的破坏,汉朝初年统治者在思想上以黄老清静无为之学作为统治思想,实行不干预的放任经济政策。这一方面有利于经济的恢复,另一方面也放弃了政府对经济的调控,从而鼓励了权贵、地方豪强对百姓的土地兼并,这种态势到了武帝时已日益严重起来。统治阶层内部出现了改变无为政策、积极振作的呼声。儒学重视民生、主张加强政府的权力、加大干预社会的思想迎合了当时的国内局势。其次,在对外方面,朝廷经过数十年的积累,已经有了一定的战争实力,没有必要再向汉初那样对匈奴采取守势,汉武帝时代君臣试图凭借雄厚的国力将匈奴问题一劳永逸地解决。而《公羊传》提倡的"尊王攘夷"也颇合当时的外部局势。以上这两方面的原因促使朝廷抛弃消极无为的"黄老之学",支持主张有所作为的儒学。

武帝时儒学兴起,其后很快就往神学化的方向发展。这里面也有深刻的社会原因。秦灭六国,消灭了贵族的政治势力,取而代之的汉朝是中国历史上第一个由平民建立的政权。新兴政权也面临新的形势：即迫切需要合法性的论证。中国自夏商周以来，直至战国、秦，统治者都是贵族出身，政权具有牢固的基础。而汉代因为建立者刘邦是一介平民，就缺乏使天下人、尤其是使山东六国贵族后裔信服的依据。因此汉代就利用儒家中的"天命"思想，试图建立一种天命神学，将汉朝政权的合法性依托在天命上。而这一"天命神学"的完成者就是董仲舒。董仲舒以《天人三策》及《春秋繁露》构建了他宏大而严密的哲学体系。

董仲舒的《春秋繁露》在内容上包括了以下几部分：一为"天为人本"的天道观；二为"受命改制"的政治哲学；三为天人感应思想；四为纲常伦理思想。董仲舒首先建立了一个"万物之本"的天道观念：《春秋繁露·观德》说："天地者，万物之本，先祖之所出也。广大无极，其德昭明，历年众多，永永无疆。天出至明，众知类也，其伏无不炤也。地出至晦，星日为明，不敢闇。君臣、父子、夫妇之道取之此。"不仅如此，天还是人之祖："天者，万物之祖。"（《顺命》）"人之（为）人本于天，天亦人之曾祖父也。"（《为人者天》）

董仲舒认为，天具有意志以及拥有绝对的权力，夏、商、周、秦、汉的朝代更替是上天改变其命而致。同时，新继承天命的统治者就应该对天有所表示。应取法于天，上承天命而改制："王者必受命而后王。王者必改正朔，易服色，制礼乐，一统于天下，所以明易姓，非继人，通以己受之于天也。"（《三代改制质文》）既然天为万物所本，天授意认可的王者自然具有神圣性，同时王者又尊天而改制，这更进一步地增加了其政权的合法性与合理性。可以说，"受命改制说"就是为论证汉朝政权的合法性而提出的。

而在天与人之间，还存在着互相感应的关系。首先，天与人是同类的。天也有人的喜怒哀乐："天亦有喜怒之气、哀乐之心，与人相副,以类合之,天人一也。春,喜气也,故生;秋,怒气也,故杀;夏,乐气也,故养;冬,哀气也,故藏。四者,天人同有之,有其理而一用之。"(《阴阳义》)其次,天的喜怒来自于人的行为,上天以灾异的形式对于人的行为进行谴告:"天地之物有不常之变者,谓之异,小者谓之灾。灾常先至而异乃随之。灾者,天之谴也;异者,天之威也。谴之而不知,乃畏之以威……凡灾异之本,尽生于国家之失。国家之失乃始萌芽,而天出灾害以谴告之;谴告之而不知变,乃见怪异以惊骇之,惊骇之尚不知畏恐,其殃咎乃至。以此见天意之仁而不欲陷人也。"(《必仁且智》)同时,上天也以祥瑞的形式对人的行为进行褒扬。因此,国家若有灾变发生,是因为人(尤其是统治者)做了错事,而天降惩罚。统治者当以此而反省自责、改过自新。而国家若有祥瑞出现,则说明统治者顺承天意,应该受到庶民的爱戴。天人感应论的实质有两个方面:一是证明天意的存在,进而增加王者"受命"的可信度;同时,此理论也有用"天"来使帝王有所畏惧的用意。"感应说"使大臣获得了解释天意的权力,在一定的程度上对君主有所制约。这一点,是董仲舒对其"受命改制说"尊君卑臣倾向的一种平衡。

关于董仲舒的纲常伦理思想。董仲舒提出"王道之三纲,可求于天"。把君臣、父子、夫妇这三种关系看做是"王道之三纲",来自于天,是天经地义、不可违反的:"君臣、父子、夫妇之义,皆取诸阴阳之道。君为阳,臣为阴;父为阳,子为阴;夫为阳,妻为阴。阴道无所独行,其始也不得专起,其终也不得分功,有所兼之义。是故臣兼功于君,子兼功于父,妻兼功于夫,阴兼功于阳,地兼功于天。"(《基义》)这三种关系中,臣、子、妇是阴,按照阴卑阳尊的观点,阴必须绝对服从于阳,臣、子、妇也必须绝对服从君、父、夫。董仲舒将纲常抬高到天道的至高地位,是为了将宗法社会秩序绝对化、永恒化。

董仲舒的《春秋繁露》是汉代儒学神学化、政治化发展的表现，其后的《白虎通》继承了董仲舒的思想，把汉代儒学这种发展势头推到了极致。总的来说，董仲舒的"天人感应"、"受命改制"以及纲常思想对后世的影响是很大的。

《春秋繁露》共存篇目八十二篇，阙文三篇，限于字数，本书只对《春秋繁露》一书中的部分篇目进行了注译。在这一过程中，笔者选取了书中影响较大、较能代表董仲舒思想全貌的篇目。注译的原则是既注意严谨规范又尽量做到简单明白。注释较简而译文较详。本书所用的底本为上海古籍出版社影印本《春秋繁露》，并参照钟哲点校，中华书局出版的苏舆《春秋繁露义证》，二书不同之处取其较合理者。同时，笔者也做了一些文字和标点上的校正。此外，本书的译注还参考了袁长江等校释的《董仲舒集》以及台湾学者赖炎元的《春秋繁露今注今译》。

目录

卷 一
楚庄王第一 ———————————————— 15
玉杯第二 —————————————————— 25

卷 三
玉英第四 —————————————————— 37

卷 五
灭国上第七 ———————————————— 51
灭国下第八 ———————————————— 54
随本消息第九 ——————————————— 57
正贯第十一 ———————————————— 61
十指第十二 ———————————————— 64

卷 六
服制像第十四 ——————————————— 69
二端第十五 ———————————————— 72

俞序第十七 ———————————————————— 75

卷 七
尧舜不擅移、汤武不专杀第二十五 ————————— 81

卷 八
仁义法第二十九 ————————————————— 87
必仁且智第三十 ————————————————— 93

卷 九
身之养重于义第三十一 ——————————————— 101
对胶西王越大夫不得为仁第三十二 ——————————— 104
观德第三十三 —————————————————— 107
奉本第三十四 —————————————————— 112

卷 十
实性第三十六 —————————————————— 119
诸侯第三十七 —————————————————— 123
五行对第三十八 ————————————————— 125

卷十一
为人者天第四十一 ———————————————— 131
五行之义第四十二 ———————————————— 135
阳尊阴卑第四十三 ———————————————— 138
王道通三第四十四 ———————————————— 143
天容第四十五 —————————————————— 148
天辨在人第四十六 ———————————————— 150

卷十二

阴阳终始第四十八 155

暖燠常多第五十二 158

基义第五十三 161

卷十三

四时之副第五十五 167

人副天数第五十六 169

同类相动第五十七 173

五行相生第五十八 177

五行相胜第五十九 181

治水五行第六十一 185

卷十四

五行变救第六十三 189

五行五事第六十四 191

卷十五

郊义第六十六 199

郊祭第六十七 201

四祭第六十八 204

郊祀第六十九 206

郊事对第七十一 209

卷十六

执贽第七十二 215

山川颂第七十三 —————————————————— 218

止雨第七十五 ———————————————————— 221

祭义第七十六 ———————————————————— 224

卷十七

如天之为第八十 ——————————————————— 231

天地阴阳第八十一 —————————————————— 234

天道施第八十二 ——————————————————— 238

卷 一

楚庄王第一

[题解]

这是《春秋繁露》的第一篇。文章大意是介绍《春秋公羊传》的一些义例，如"贬诸侯"、"三世说"、"新王改制"等，说明《春秋》之道是"奉天而法古"，并借此阐述"受命改制"的理论。之所以篇名为《楚庄王》，是取其开篇以"楚庄王杀陈夏征舒"的前几个字。

"楚庄王杀陈夏征舒①，《春秋》贬其文，不予专讨也②。灵王杀齐庆封③，而直称楚子，何也？"曰："庄王之行贤，而征舒之罪重。以贤君讨重罪，其于人心善。若不贬，孰知其非正经？《春秋》常于其嫌得者，见其不得也。是故齐桓不予专地而封④，晋文不予致王而朝⑤，楚庄弗予专杀而讨。三者不得，则诸侯之得，殆此矣。此楚灵之所以称子而讨也。《春秋》之辞多所况，是文约而法明也。"问者曰："不予诸侯之专封，复见于陈蔡之灭；不予诸侯之专讨，独不复见庆封之杀，何也？"曰："《春秋》之用辞，已明者去之，未明者著⑥之。今诸侯之不得专讨，固已明矣。而庆封之罪未有所见也。故称楚子以伯讨之，著其罪之宜死，以为天下大禁。曰：人臣之行，贬主之位，乱国之臣，虽不篡杀，其罪皆宜死。比于此其云尔也。"

[注释]

①陈灵公与夏姬淫乱,被夏姬之子征舒所杀,其后楚庄王又伐陈,杀征舒。②贬:贬斥。予:赞许。这是春秋的体例,对天子、诸侯、大夫或贬或予或讥。③昭公四年,楚灵王伐吴时,杀了出奔吴国的齐国大夫庆封。④齐桓公为卫国筑城于楚丘。《春秋》不赞成诸侯之间私自相授土地。⑤指晋文公在践土会盟诸侯,周王也到场的事。《春秋》不赞成诸侯会盟时招致天子。⑥著:显现。

[译文]

(有人问:)"楚庄王杀死陈国大夫夏征舒,《春秋》将'楚子'贬低为'楚人',这是不赞成诸侯的专讨。而楚灵王杀死齐国大夫庆封,《春秋》却称其为'楚子',这是什么缘故呢?"(我回答)说:"这是因为楚庄王是一位贤君,而夏征舒的罪行深重。贤君讨伐重罪之臣,人心皆以其为善举。《春秋》如果不加以贬斥的话,人们哪里会知道他做的事不合于正经呢?《春秋》常常在那些可疑的所谓德政中,显示其不德之处。因此不赞成齐桓公专地而封人,不赞成晋文公盟会时招致天子而来,也不赞成楚庄王擅专杀专讨之权。以上三者之权不能从天子那里得到,那么诸侯所能得到的正当权力就可以推想而知了。这就是楚灵王称'子'而进行讨伐的缘故。讨伐《春秋》的用辞多做比方,文辞简约而法度明确。"问者说:"在不赞成诸侯专封这件事上,《春秋》在记述陈、蔡灭亡时也这样用辞,而在不赞成诸侯专讨一事上,却不见于庆封被杀时,这是为什么呢?"(我回答)说:"这是因为《春秋》这本书在用辞讲究方面,对已经明了的事一般不再多言,而对于不明了的事则要使它著显。诸侯不得专讨一事,已经很明白了。而庆封的罪行,则前面并未有所交代,因此称'楚子',这是以方伯的高贵地位来讨伐庆封,著明其罪之当死,以此让人知道什么是天下大禁。像齐国庆封这样,身为人臣,却造成国君的地位受到损害,国家也被他搞乱，即使他没有去篡弑其君，他的罪行也该死。这里的用辞就是以庆封为例的。"

"《春秋》曰：'晋伐鲜虞。'①奚恶乎晋而同夷狄也？"曰："《春秋》尊礼而重信。信重于地，礼尊于身。何以知其然也？宋伯姬疑礼而死于火②，齐桓公疑信而亏其地③，《春秋》贤而举之，以为天下法，曰礼而信。礼无不答，施无不报，天之数也。今我君臣同姓适女，女无良心，礼以不答，有恐畏我，何其不夷狄也？公子庆父④之乱，鲁危殆亡，而齐桓安之。于彼无亲，尚来忧我，如何与同姓而残贼遇我。《诗》云：'宛彼鸣鸠，翰飞戾天。我心忧伤，念彼先人。明发不寐，有怀二人。'⑤人皆有此心也。今晋不以同姓忧我，而强大厌我，我心望焉，故言之不好，谓之晋而已，婉辞也。"问者曰："晋恶而不可亲，公往而不敢至，乃人情耳。君子何耻而称公有疾也？"曰："恶无故自来，君子不耻，内省不疚，何忧于志？是已矣。今《春秋》耻之者，昭公有以取之也。臣陵其君，始于文而甚于昭。公受乱陵夷，而无惧惕之心，嚣嚣然轻计妄讨，犯大礼而取同姓，接不义而重自轻也。人之言曰：'国家治，则四邻贺；国家乱，则四邻散。'是故季孙专其位，而大国莫之正。出走八年，死乃得归。身亡子危，困之至也。君子不耻其困，而耻其所以穷。昭公虽逢此时，苟不取同姓，讵至于是。虽取同姓，能用孔子自辅，亦不至如是。时难而治简，行枉而无救，是其所以穷也。"

[注释]

①昭公十二年，晋国攻伐鲜虞国。《公羊传》认为此处用"晋伐"是讥讽晋国不守信用，有夷狄之行。②宋伯姬：鲁宣公之女，嫁给宋共公，是宋共公夫人。宋国宫室火灾，她守礼不出而死。疑：通"凝"。③庄公十三年，齐鲁会盟于柯地，鲁国大夫曹刿持剑要挟齐桓公返还鲁国之地，事后齐桓公信守

了诺言。④庆父：鲁国大夫，他在庄公死后作乱，先后杀死子般、闵公二君。⑤"宛彼鸣鸠"六句：这几句诗引自《诗经·小雅·小宛》，此诗《诗序》说是"大夫刺幽王也"，文章引用的诗句是取其思念先祖之意，以讥讽晋人不念及晋、鲁同祖，反而处处欺压鲁国。

[译文]

（问者说：）"《春秋》里写道：'晋伐鲜虞。'这里为什么憎恶晋国而把它与夷狄同等对待呢？"（我回答）说："《春秋》尊礼而重信。信义比土地还重要，礼义则比人的生命更为尊贵。何以知道这个道理呢？宋国的宫殿发生火灾，伯姬守妇人之礼而死于火中；齐桓公信守诺言而使得齐国损失了土地。《春秋》称赞他们为贤人，以此为天下所当效法，这就是礼与信。礼没有不报答的，施与人没有不回报的，这是天道。我们鲁国作为你们的同姓，君臣到你们晋国去，你们没有好心，不待以礼，而且又威胁于我，这如何不是夷狄的行为呢？鲁国庆父之乱的时候，国家危亡，是齐桓公平定了祸乱。齐国跟我们不是同姓，尚且能够担忧我们的安危，你们作为同姓却要危害我们。《诗经》说：'小小的斑鸠啊，一下就飞到了天上。我的心里忧伤啊，怀念先人。从夜至旦啊，念此二人。'人人都有念及先祖之心。现在晋国不看在同根的分上忧念我，反而自恃强大、以势压人，我们鲁国十分怨恨，因此对晋国不客气，只称之为晋而已，这是委婉之辞。"问者说："晋国可恶而不可亲，鲁公往晋国不至而返回，这是人情啊。君子为何将之视为耻辱，而托辞说是鲁公有疾病呢？"（我回答）说："恶行无缘无故而来的话，那么君子就不以为耻，自己内省也不感到惭愧，心里又有什么忧愁呢？如此而已。《春秋》以此为耻的原因是：鲁昭公自取其辱。大臣欺凌君主这种事，在文公之时就开始有了，而甚于昭公时。昭公之时国家衰乱，他却毫无警惕恐惧之心，狂妄自大、轻易征讨，违反大礼，娶同姓女为妻，这是双重的自轻啊。人们说：'国家政治清明，则四邻前来祝贺；国家乱，则四邻分散。'因此当季孙氏专权的时候，连齐、晋这样的大国也没有人能来救正。昭公出走八年，至死才得以回归鲁国。自己身亡，而使儿子也危殆，这是困穷到极点了。君子不耻辱困穷，耻的是困穷的原因。昭公虽逢国家衰乱之时，但假使不娶同姓，也不至于落到这般境地。即使娶同姓，但假若能用孔子来辅助自己，也不至于如此。时事艰难而政策粗率，做了错事而不去补救，这就是他所以困穷的缘故了。"

《春秋》分十二世①以为三等：有见，有闻，有传闻。有见三世，有闻四世，有传闻五世。故哀、定、昭，君子之所见也。襄、成、文、宣，君子之所闻也。僖、闵、庄、桓、隐，君子之所传闻也。所见六十一年，所闻八十五年，所传闻九十六年。于所见微其辞，于所闻痛其祸，于传闻杀其恩，与情俱也。是故逐季氏而言又雩②，微其辞也；子赤③杀，弗忍书日，痛其祸也；子般杀而书乙未，杀其恩也。屈伸之志，详略之文，皆应之。吾以其近近而远远，亲亲而疏疏也，亦知其贵贵而贱贱，重重而轻轻也。有知其厚厚而薄薄，善善而恶恶也，有知其阳阳而阴阴，白白而黑黑也。百物皆有合偶，偶之合之，仇之匹之，善矣。《诗》云："威仪抑抑，德音秩秩。无怨无恶，率由仇匹。"④此之谓也。然则《春秋》，义之大者也。得一端而博达之，观其是非，可以得其正法。视其温辞，可以知其塞怨。是故于外，道而不显，于内，讳而不隐。于尊亦然，于贤亦然。此其别内外、差贤不肖而等尊卑也。义不讪上，智不危身。故远者以义讳，近者以智畏。畏与义兼，则世逾近而言逾谨矣。此定、哀⑤之所以微其辞。以故用则天下平，不用则安其身，《春秋》之道也。

[注释]

①十二世：《春秋》按鲁国世系编年，共十二世。②雩（yú）：古代祭雨

之名。③子赤：名恶，是鲁文公的太子，文公十八年被襄仲杀死。④"威仪抑抑"四句：这几句诗引自《诗经·大雅·假乐》，《诗序》云："嘉成王也。"这首诗是赞美周成王的。⑤定、哀：指鲁定公与鲁哀公。

[译文]

《春秋》分鲁国十二世为三等：有见、有闻、有传闻。有见三世，有闻四世，有传闻五世。哀公、定公、昭公三世之事，是孔子所亲见的。襄公、成公、文公、宣公之世，是孔子所听闻的。僖公、闵公、庄公、桓公、隐公，这是孔子听到的传闻之世。所见之世为六十一年，所闻为八十五年，所传闻为九十六年。于所见之世言辞隐微，于所闻之世痛心其祸，于所传闻之世则降低它的恩德以及减少对它的情意。因此本来是追逐季氏，却说成是再一次求雨祭祀，这就是言辞隐微；子赤被杀，《春秋》不忍心书写具体的日期，是哀痛这一灾祸；子般被杀而把它的日期书写为乙未，这是降低其恩。心志的屈伸，文法的详略，都与此对应。我因为《春秋》以近者为近，远者为远，亲近亲人而疏离外人，就知道了它尊崇贵者而以贱者为贱，看重那些重要的而轻视那些不重要的。知道它厚待那些忠厚的而鄙视那些浅薄的，嘉奖善良者而反对邪恶者；以阳为阳，以阴为阴，以白为白，以黑为黑。世上百物都有合偶，那么使这些对立之物和合、统一，这就是善啊。《诗经》上说："威严的仪表多么严整，有德的语言多么动听。没有人怨恨、没有人厌恶，人们各从其类。"说的就是这个道理啊。《春秋》的义理之大处也在于此。理解一处就可以晓明全体，观察其中的是非，就可以得到真正的法。观察《春秋》的温蓄之辞，就可以知道其中内在的怨恨。对外事而言，述说而不显；对内事而言，避讳但不隐瞒。对于尊贵的人是这样，对于贤者也是这样。这就是《春秋》区别内外、分清贤愚、使尊卑有序的道理。坚持仁义但不毁谤君上，用智但不危及自身的安全。因此，对于那些遥远的事，就坚持以义理来隐讳；对于近世发生的事，则以智慧保持谨慎畏惧。坚持义理与谨慎畏惧兼顾，离现在越近的事，越在言辞上保持谨慎。这就是《春秋》记述定公、哀公之世时为什么要隐微其辞的缘故了。采用《春秋》之法治国，天下就会太平，不用它治国，也可以用它来保全自己，这就是《春秋》之道啊。

《春秋》之道，奉天而法古。是故虽有巧手，弗修规矩，不能正方员；虽有察耳，不吹六律，不能定五音；虽有知心，不览先王，不能平天下。然则先王之遗道，亦天下之规矩六律已。故圣者法天，贤者法圣，此其大数也。得大数而治，失大数而乱，此治乱之分也。所闻天下无二道，故圣人异治同理也。古今通达，故先贤传其法于后世也。《春秋》之于世事也，善复古，讥易常，欲其法先王也。然而介以一言曰："王者必改制。"自僻者得此以为辞，曰："古苟可循先王之道，何莫相因？"世迷是闻，以疑正道而信邪言，甚可患也。答之曰："人有闻诸侯之君射《狸首》①之乐者，于是自断狸首，县而射之，曰：'安在于乐也！'此闻其名而不知其实者也。今所谓新王必改制者，非改其道，非变其理，受命于天，易姓更王，非继前王而王也。若一因前制，修故业，而无有所改，是与继前王而王者无以别。受命之君，天之所大显也。事父者承意，事君者仪志。事天亦然。今天大显已，物袭所代而率与同，则不显不明，非天志。故必徙居处、更称号、改正朔、易服色者，无他焉，不敢不顺天志而明自显也。若夫大纲、人伦、道理、政治、教化、习俗、文义尽如故，亦何改哉？故王者有改制之名，无易道之实。孔子曰：'无为而治者，其舜乎！'言其主尧之道而已。此非不易之效与？"问者曰："物改而天授显矣，其必更作乐，何也？"曰："乐异乎是。制为应天改之,乐为应人作之,彼之所受命者,必民之所同乐也。是故大改制于初,所以明天命也。更作乐于终,所以见天功也。缘天下之所新乐而为之文曲,且以和政,且以兴德。天下未偏合和,王者不虚作乐。乐者,盈于内而动发于外者也。应其治时,制礼作乐以成之。成者,本末质文皆以具矣。是故作乐者,必反天下之所始乐于己以为本。舜时,民乐其昭尧之业也,故《韶》。韶者,昭也。禹之时,民乐其三圣相继,故《夏》。夏者,大也。汤之时,民乐其救之于患害也,故《頀》。頀者,救也。文王之时,民乐其兴师征伐也,故《武》。武者,伐也。四者,天下同乐之,一也,其所同乐之端不可一也。作乐之法,必反本之所乐。所乐不同事,乐安得不世异?是故舜作《韶》而禹作《夏》,汤作《頀》而文王作《武》。四乐殊名,则各顺其民始乐于己也。吾见其效矣。《诗》云:'文王受命,有此武功。既伐于崇,作邑于丰。'②乐之风也。又曰:'王赫斯怒,爰整其旅。'③当是时,纣为无道,诸侯大乱,民乐文王之怒而咏歌之也。周人德已洽天下,反本以为乐,谓之《大武》,言民所始乐者武也云尔。故凡乐者,作之于终,而名之以始,重本之义也。由此观之,正朔、服色之改④,受命应天制礼作乐之异,人心之动也。二者⑤离而复合,所为一也。"

[注释]

①《狸首》:古乐曲名。②"文王受命"四句:引自《诗经·大雅·文王有声》,诗的大义是赞颂周文王与武王营建丰都以及镐京的功绩。③"王赫斯怒"二句:引自《诗经·大雅·皇矣》。该诗是一首史诗,记述了周人祖先自太王到文王建国与征战的史实。④董仲舒认为,新的朝代建立之后应该改变旧朝的历法和服装的颜色,以示接受新的天命。⑤二者:指礼与乐。

[译文]

《春秋》之道,尊奉天而效法古人。谚语说:虽然有巧手,但没有规矩则不能正方圆；虽然有很好的听力，但不亲自去吹五律，就不能够定五音；虽然有智慧，但不考察先王事迹，就不能够治理天下。先王的遗训、事迹，就是天下的规矩和六律。圣人法效天，贤者法效圣人。这就是所谓的大的原则。遵从这个大原则，国家就会得到治理，失去这个大原则，国家就会陷入混乱。这就是治乱的界限啊。我听先师说过，天下没有两种不同的治国之道，圣人治理国家虽然有所不同，但道理是一样的。古今也是通达、一致的，因此先贤把他们的治国之法传之于后。《春秋》对于世事的道理，嘉奖那些复古的，讥刺那些违反纲常的，这是为了效法先王。然而，《春秋》其间有一说"王者必改制"。那些生性怪异的人就以此为借口，说："假使古人也可以遵循先王之道的话，那么他们为什么不相承不变呢？"世人被此种言论所迷惑，怀疑正道而迷信邪言，这真是令人担忧啊。（我）回答说："有人听说诸侯举行射礼的时候以《狸首》伴奏，于是就自己砍断狐狸的头，悬挂起来射箭，然后说：'音乐在哪里呢？'这就是只知其名而不知其实。《春秋》所谓新王必改制，不是说改变天道，也不是改变天理，受命于天，继承新王，这继承是从天，而不是从前面的国君那来的。如果一切都因循前制，遵守前代的基业，不做任何的改变，这跟那些继承前面王者君位的人没有区别。受命之君是天意的显现。侍奉父亲要承父亲之意，侍奉君主要承君之志，侍奉天的也应该这样。现在天意大显于你，你只是因袭前代，不做任何改变，那么天意就没有显明，这不是上天的意志。因此受命之君必须迁移居处，改正国号、历法，改变服装的颜色，这没有别的缘故，只是为了表示自己不敢不顺从天意而已。但是如天纲、人伦、道理、政治、教化、习俗、文义这些东西就要与前代一样，何尝改动了呢？王者有改制的名，但无改制的实。孔子说：'无为而治的是谁呢？是舜啊！'这是说他只是遵循唐尧之道而已，这难道不是不变的效果吗？"问者说："已经遵从天命改制以显现天志之后,为什么还要制乐呢?"(我回答)说:"制乐跟改制(服制等)不一样。后者是应天而改,前者是应人而改。那受命之人,必是人民所同乐之人。因此最初大改制(服制等)是为了使天命昭明。最后制乐,这是为了显现天之功。根据天下人之所乐而为之制曲,以配合和乐的政治,使道德得到美化。当天下尚未和乐之时,王者是不会徒劳地制乐的。音乐是充满于内心而发作于外的。音乐与政治相应,制礼作乐,只有当有始有终、并且内在与形式合一的时候才能成功。因此制乐者必然追溯天下人所乐之事,以此作为自己制乐的根本。舜的时候,人民乐于他昭明尧的事业,所以制作《韶》曲。韶,就是昭明的意思啊。大禹的时候,人民乐于当时连着三代圣人相继,因此作《夏》曲。夏,就是大的意思。汤的时候,人民感激汤拯救天下于患难之中,因此作《頀》曲。頀,就是救的意思。文王之时,人民赞扬其征讨暴君,因此作《武》曲。武,就是征伐的意思。这四首曲子的相同之处是天下同乐,这是一样的。但是所乐的事由并不一样。制乐的原则是必须推溯其所乐的是什么。所乐的事不一样,那么这乐曲哪里会一样呢?所以舜作《韶》而禹作《夏》,汤作《頀》而文王作《武》。四种乐曲名字不一样,是君王各自顺着人民对自己欢喜之意的缘故。《诗经》说:'文王受天命,拥有了这武功。他打败了崇国,而建城于丰。'这是音乐的风教啊。(《诗经》)又说:'我王震怒,兴起了他的大军。'那个时候,商纣无道,诸侯之间大乱,人民非常高兴文王之怒而作歌咏唱他。当周的德政遍及天下的时候,追溯其本,把这乐曲叫做《大武》,这是说人民所乐者为武。作乐这件事,在事情最后结束的时候作成,而在事情刚开始的时候就命名了,这就是重根本的意思。从这一点上看,历法、服色之改动,受命应天制礼作乐的不同,只是人心的感应不同而已。二者离而复合,说的是一个道理。"

玉杯第二

[题解]

《玉杯》从国君服丧之事讲起,论述了丧礼的重要性。作者认为国君不守丧礼意味着国家礼制的破坏,这会导致政治上的恶果。接着作者从丧礼引申到人的内心,说明《春秋》之法实际上是心法,制度的关键在于人的心志。

《春秋》讥文公以丧取①。难者曰:"丧之法,不过三年,三年之丧,二十五月。今按经,文公乃四十一月方取。取时无丧,出其法②也久矣。何以谓之丧取?"曰:"《春秋》之论事,莫重于志。今取必纳币,纳币之月在丧分,故谓之丧取也。且文公以秋祫祭③,以冬纳币,皆失于太蚤④。《春秋》不讥其前,而顾讥其后,必以三年之丧,肌肤之情也。虽从俗而不能终,犹宜未平于心。今全无悼远之志,反思念取事,是《春秋》之所甚疾也。故讥不出三年于首而已,讥以丧取也。不别先后,贱其无人心也。缘此以论礼,礼之所重者在其志。志敬而节具,则君子予之知礼;志和而音雅,则君子予之知乐;志哀而居约,则君子予之知丧。故曰:非虚加之,重志之谓也。志为质,物为文。文著于质,质不居文,文安施质?质文两备,然后其礼成。文质偏行,不得有我尔之名。俱不能备,而偏行之,宁有质而无文。虽弗予能礼，尚少善之，介葛卢来⑤是也；有文无质，非直不予，乃少恶之，谓州公寔来⑥是也。然则《春秋》之序道也，先质而后文，右志而左物⑦。故曰：'礼云礼云，玉帛云乎哉？'推而前之，亦宜曰：朝云朝云，辞令云乎哉？'乐云乐云，钟鼓云乎哉？'引而后之，亦宜曰：丧云丧云，衣服云乎哉？是故孔子立新王之道，明其贵志以反⑧和，见其好诚以灭伪。其有继周之弊，故若此也。"

[注释]

①以丧取：在服丧期内办理婚事。取，通"娶"。依古礼，服丧期内不得办理婚事，故《春秋》以此讥文公（鲁文公）。②出其法：超出礼制中丧法所规定的期限。③以秋袷（xiá）祭：在秋季集合远近祖先于太庙进行合祭。④蚤：通"早"。⑤介葛卢来：介，东夷国名；葛卢，介国的君主名。来，朝见。因其是夷狄而不识周礼，故称"来"不称"朝"。此谓《春秋》笔法。⑥州公寔来：州，国名。寔来，即此人来了。⑦右志而左物：汉代以右为上，以左为下。所谓右志，指以志为上为先；所谓左物，指以物为下为后。⑧反：通"返"。

[译文]

《春秋》讥讽鲁文公在丧期举办婚事。有为之辩难者说："丧期之法，不过三年，三年之丧，只是二十五个月。而按照《春秋》记载：鲁文公在其父僖公去世后第四十一个月才办理婚事，办理婚事时早已过了丧期，怎么能说他是以丧娶呢？"（我回答）说："《春秋》论事，重视人的心志。办理婚事必须有聘礼，而文公下聘礼的时间在丧期，所以称之为丧娶。而且文公秋季袷祭祖先诸神，冬天便下聘礼，都太早了。《春秋》不讥其前，反而讥其后，就在于所谓三年之丧的礼制，是合乎人情的。即使顺从了民众的风俗不完成三年之丧，内心也未必能得到安宁。今天人们全无追悼远祖的心理，只想着婚事，这是《春秋》所特别担心的。所以讥讽不出三年于首而已，讥讽其在丧期婚娶。不区别先后轻重，是鄙视其无人心。由此而论礼，礼之所重视的，在于其内心所想，内心存敬而细节完备，这样君子赞美其知礼；内心平和而琴声雅致，这样君子赞美其知乐；内心哀凄而居所简约，这样君子赞美其知丧。这就是重视内心而非虚名。内心为质，外物为文。外物着于内心，内心如果不主导外物，外物如何能装饰内心？内心外物双备，然后就达到了礼的要求；内心外物只偏重一个，（不可以成礼节）就连'你''我'这样的称呼都无法成立；如果二者都不具备而偏行之，则宁有质而无文，即使不能行礼，但也稍稍地嘉奖他，如介国国君葛卢来朝；至于有文而无质者，则不但不认为他正直，还会厌恶他，如《春秋》讥刺州国国君的轻慢无礼。《春秋》以天道为序，先质而后文，重视志而轻视物，所以说：'礼啊礼啊，使用玉帛就是礼吗？'这句话推而论之，也可以说：'朝会啊朝会，仅仅辞令美妙就是朝会吗？''乐啊乐啊，使用钟鼓就是乐吗？'把这句话进一步引申，也可以说：'丧礼啊丧礼，单单穿着丧服就是丧礼吗？'因此孔子立新王之道，阐明了重视内心而返于中和的道理，可见孔子喜好诚实而要消灭伪善的志向。有人继承了周人偏重文而轻视质的弊病，《春秋》大致就针对这种情况吧。"

《春秋》之法：以人随君，以君随天。曰：缘民臣之心，不可一日无君。一日不可无君，而犹三年称子者，为君心之未当立也。此非以人随君耶？孝子之心，三年不当。三年不当而踰年即位者，与天数俱终始也。此非以君随天邪？故屈民而伸君，屈君而伸天，《春秋》之大义也。

《春秋》论十二世①之事，人道浃②而王道备，法布二百四十二年之中，相为左右，以成文采。其居参错，非袭古也。是故论《春秋》者，合而通之，缘而求之，五其比，偶其类，览其绪，屠其赘，是以人道浃而王法立。以为不然？今夫天子踰年即位，诸侯于封内三年称子，皆不在经也，而操之与在经无以异。非无其辨也，有所见而经安受其赘也。故能以比贯类、以辨付赘者，大得之矣。

人受命于天，有善善恶恶之性，可养而不可改，可豫而不可去，若形体之可肥臞③，而不可得革也。是故虽有至贤，能为君亲含容其恶，不能为君亲令无恶。《书》曰："厥辟去厥祗。"事亲亦然，皆忠孝之极也。非至贤安能如是？父不父则子不子，君不君则臣不臣耳。

文公不能服丧，不时奉祭，不以三年，又以丧取，取于大夫，以卑宗庙，乱其群祖以逆先公。小善无一，而大恶四五，故诸侯弗予盟，命大夫弗为使，是恶恶之征、不臣之效也。出侮于外，入夺于内，无位之君也。孔子曰："政逮于大夫四世矣。"盖自文公以来之谓也。

君子知在位者不能以恶服人也，是故简④六艺以赡养之。《诗》、《书》序其志，《礼》、《乐》纯其美，《易》、《春秋》明其知⑤。六学皆大，而各有所长。《诗》道志，故长于质；《礼》制节，故长于文；《乐》咏德，故长于风⑥；《书》著功，故长于事；《易》本天地，故长于数；《春秋》正是非，故长于治人。能兼得其所长，而不能遍举其详也。故人主大节则知阇⑦，大博则业厌⑧。二者异失同贬，其伤必至，不可不察也。是故善为师者，既美其道，有慎其行，齐⑨时蚤晚，任多少，适疾徐，造而勿趋，稽而勿苦，省其所为，而成其所湛⑩，故力不劳而身大成，此之谓圣化，吾取之。

[注释]

①十二世：即《春秋》所记鲁国的十二代君王。②浃（jiā）：周到通达。

③臞（qú）：消瘦的样子。④简：选择、择取。⑤知：同"智"。⑥风：教化、教育。⑦知闇（àn）：糊涂。⑧厌：满足。⑨齐：同"剂"，调剂。⑩湛：和乐。

[译文]

《春秋》的大法即是：民众随从君主，君主随从天意。《春秋》说：考察民众大臣心中所想，不可一日无君。一日不可无君，就像三年丧期称子者，是君心还不能树立，这不正是以人随君？孝子之心，三年不至而不敢称君，而达到三年便要即位，这是与天的意志相统一的，这不正是以君随天？所以《春秋》的大宗旨就在于，屈民而伸君，屈君而伸天。

《春秋》论鲁国十二世国君之事，人道周到而王道完备，大法散布于二百四十二年之中，相互印证，以成文采，参错使用，并不完全因袭古法。所以研究《春秋》，当合而会通，缘察求证，以五行、阴阳比照归类，观其端绪，去其赘言，达到人道周到而王法得以确立。难道有人怀疑这一点吗？今天汉天子满丧期而即位，诸侯在封地内三年称子，均不见于《经》中，而与《经》无异，这并不是不能辨析的，是真有所见而不受《经》的围限。能融会贯通，辨析赘言，是真正得到了《春秋》之法的要义。

人受命于天，有善善恶恶的本性，本性可以修养却不可以改变，恶可以预防却不能消除，这就好像人的身体可胖可瘦，却不得根本改变一样。因此，即使是至贤，也只是含容国君本性恶的一面，却不能使国君彻底去除恶性。《尚书》说："君主自己去掉那病痛。"侍奉父母亲也是一样，这已是至忠至孝。不是至贤之人能做得到吗？所谓父亲没有父亲的样子，那么孩子就没有孩子的样子，国君没有国君的样子，那么大臣就没有大臣的样子。

鲁文公不能以礼服丧，不能按时祭祀，丧期不满三年而又婚娶，娶大夫家之女而使宗庙蒙羞，错乱其祖先的牌位，违逆其先人,他没有做过一件小小的好事,反而做了许多错事。所以诸侯不和他结盟,国中大夫也不听其号令,这就是人民憎恨恶行的征验,也是他不守臣节的结果(指文王不为僖公守丧)。他在外受侮,在内被大夫夺位,只是一个没有实权的国君。孔子说:"政权落于大夫之手,四代了。"就是从鲁文公开始算起的。

　　君子知道在位的国君不能以其恶行使民众服从,所以选择了六种经典来涵养人心。《诗》和《书》使人心有序,《礼》和《乐》使人行为纯美,《易》和《春秋》使人发明智慧。这六种学问都十分重要,而各自又有所长。《诗》重视志,故长于内心;《礼》使人的行为有节制,故长于外在;《乐》歌咏圣德,故长于教化;《尚书》彰显功绩,故长于处事;《易》根本于天地大道,故长于数理变化;《春秋》正人心是非,故长于治人。学者能兼得六艺之所长,而不能全面地解释其具体内容。所以国君过分控制就会犯糊涂,什么都懂的话就会容易满足,此二者虽过错不同却同样受到贬斥,其伤害必至,所以不可不察。所以善于为师的人,既称美其道,又谨慎其行为,调剂早晚,使学者承受有度,适应快慢有节,有作为而不急促,有所存留而不涩滞,省察其所作所为,而成就其和乐的心态。故身体不受劳累之苦而功业有大成,这就叫做圣化,我赞成这一点。

　　《春秋》之好微①与,其贵志也。《春秋》修本末之义,达变故之应,通生死之志,遂人道之极者也。是故君杀贼讨②,则善而书其诛。若莫之讨③,则君不书葬,而贼不复见矣。不书葬,以为无臣子也;贼不复见,以其宜灭绝也。今赵盾弑君,四年之后,别牍复见,非《春秋》之常辞也。古今之学者异而问之,曰:"是弑君何以复见?犹曰:'贼未讨,何以书葬?'何以书葬者,不宜书葬也而书葬。何以复见者,亦不宜复见也而复见。二者同贯,不得不相若也。盾之复见，直以赴问，而辨不亲弑，非不当诛也。则亦不得不谓悼公④之书葬，直以赴问而辨不成弑，非不当罪也。若是则《春秋》之说乱矣，岂可法哉！""故贯比而论是非，虽难悉得，其义一也。今盾诛无传，弗诛无传，以比言之法论也。无比而处之，诬辞也。今视其比，皆不当死，何以诛之？《春秋》赴问数百，应问数千，同留经中。翻援比类，以发其端。卒无妄言而得应于传者。今使外贼不可诛，故皆复见，而问曰：'此复见何也？'言莫妄于是，何以得应乎？故吾以其得应，知其问之不妄，以其问之不妄，知盾之狱不可不察也。夫名为弑父而实免罪者，已有之矣；亦有名为弑君，而罪不诛者。逆而距之，不若徐而味之。且吾语盾有本，《诗》云：'他人有心，予忖度之。'此言物莫无邻，察视其外，可以见其内也。今案盾事而观其心，愿而不刑，合而信之，非篡弑之邻也。按盾辞号乎天⑤，苟内不诚，安能如是？是故训其终始无弑之志。挂恶谋者，过在不遂去，罪在不讨贼而已。臣之宜为君讨贼也，犹子之宜为父尝药也。子不尝药，故加之弑父；臣不讨贼，故加之弑君。其义一也。所以示天下废臣子之节，其恶之大若此也。故盾之不讨贼，为弑君也，与止之不尝药为弑父无以异。盾不宜诛，以此参之。"问者曰："夫谓之弑而有不诛，其论难知，非蒙之所能见也。故赦止之罪，以传明之。盾不诛，无传，何也？"曰："世乱义废，背上不臣，篡弑覆君者多，而有明大恶之不宜诛，谁言其诛？故晋赵盾、楚公子比皆不诛之文，而弗为传，弗欲明之心也。"问者曰："人弑其君，重卿在而弗能讨者，非一国也。灵公弑，赵盾不在，不在之与在，恶有厚薄，《春秋》责在而不讨贼者，弗系臣子尔也；责不在而不讨贼者，乃加弑焉，何其责厚恶之薄、薄恶之厚也？"曰："《春秋》之道，视人所惑，为立说以大明之。今赵盾贤而不遂于理，皆见其善，莫见其罪，故因其所贤而加之大恶，系之重责，使人湛思而自省悟以反道。曰：'吁！君臣之大义，父子之道，乃至乎此！'此所由恶薄而责之厚也。他国不讨贼者，诸斗筲之民，何足数哉？弗系人数而已。此所由恶厚而责薄也。《传》曰：轻为重，重为轻。非是之谓乎？故公子比嫌可以立，赵盾嫌无臣责，许止嫌无子罪。《春秋》为人不知恶而恬行不备也，是故重累责之，以矫枉世而直之，矫者不过其正，弗能直。知此而义毕矣。"

[注释]

①微：微言大义，是指《春秋》常用一些含蓄隐晦的话来表达作者不便公开说出的政治观点。②君杀贼讨：即弑君讨贼。③若莫之讨：即若莫讨之。④悼公：即许悼公。其世子许止将其毒死，而《春秋·昭公十九年》记载曰："葬许悼公。"⑤盾辞号乎天：指赵盾向天哀号。《公羊传·宣公六年》中说："赵盾曰：'天乎无辜！吾不弑君，谁谓吾弑君者乎？'"

[译文]

《春秋》喜欢讲微言大义，这是因为它重视人的心志。《春秋》主张探究事实的本末，明晓变故的征兆，通达生死的道理，成就了人道的极致。所以弑君讨贼，则称其为诛。如果不征讨之，则记为国君不被安葬，而《春秋》不再出现弑君者的名字。记为国君不被安葬，则意指国君无臣子为其复仇；不再出现弑君者的名字，则意指他们应当被讨伐与诛杀。赵盾于鲁宣公二年弑晋灵公，而《春秋·宣公六年》复见赵盾其名，这并非《春秋》通常的写法。古今的学者于此事有疑问说："这个弑君之人怎么又见于《春秋》？就像说：'贼尚未征讨，怎么写安葬？'明明不宜写安葬，为什么书中又写安葬呢？而弑君者明明不宜复见却又确实在书中复见了。此二者是一贯的，我不得不将这两件事相比。如果说赵盾在《春秋》中复见，只是因为有人那样问难，而书中对此加以辩驳，说他不是亲手弑君，这在书中表达的并不是不应该诛讨赵盾的意思。同样地，

《春秋》写许悼公安葬,也只是因为有人那样问难,而辩驳为许世子止没有弑君,书中表达的也不是世子止不应该承担其罪的意思。如果是这样的话,说明《春秋》的义理是错乱的,那岂可以成为后人效法的根本呢?"(我回答说:)"人们应该将《春秋》大义相互贯通而论事之是非,即使不能全部洞悉其中的道理,但其大义是一贯的。现在《春秋》有声讨赵盾的言辞,却没有不治其罪的言辞。根据同类的事例来讨论才是正当的,如果不以类比的事例来对待赵盾之事,那就是诬陷之辞。现在用类比的方法来看待,史上类似赵盾之事的好多例子,当事者都不当被《春秋》所诛讨,怎么可以唯独诛讨赵盾一个人呢? 《春秋》起问数百,应问数千,同留在《经》中。用同类的事情来进行类比,以发明其端绪。始终没有妄言,而能够跟传文一一相应。假若是(外)贼为乱,杀害国君,大夫没有去诛讨,有人在《春秋》中复见该大夫之名,却问:'为什么这(内)贼可以复见?'那么没有比这话更加妄言的了,这两者(内、外不同)怎么可以相应呢?所以我因为《春秋》中有关赵盾之事的可以前后相应,就知道书中相关的问题不是妄言,因为不是妄言,所以对赵盾是否加以诛讨之辞的事就不可以不细察。名为弑父而实无罪者,《春秋》中早已经有了;当然也有那名为弑君而实际上罪不当诛者。与其排斥这个问题倒不如对其慢慢体味。并且,我对于赵盾的观点是有根据的,《诗经》中说:'他人有心,予忖度之。'这就是说物没有不相近的,察其外部可以见其内心。以赵盾之事而观其心,他一向谨慎而不伤害他人,为人正直可信,不是篡逆一类的人。根据事后赵盾对天呼号的记载可以推知,假使他内心不诚实,怎么可能那样呢?所以通过考察发现他始终无弑君之心,只是被人误解,其过错在于事情发生以后没有远走他国,其罪在于不代君讨贼而已。作为臣子就应该代君讨贼,就像作为子孙应该代父尝药一样。这个道理是相通的。所以《春秋》将那些没有臣子之节的行为布示天下，其恶之大就类似这样。赵盾不代君讨贼却被称为弑君的人，这与许止不代父尝药而称之为弑父没有什么区别。赵盾不应该被《春秋》诛讨，于此也可以得到参照。"有人问："称之为弑而不诛讨，这个观点很难理解，不是我所能明白的。宽赦许止之罪，《传》说明了这其中的道理。而赵盾不得诛讨之论在《传》中却没有论及，这又是为什么呢？"（我回答）说："世乱义废，做出不臣之事、篡逆弑君者太多了，而如果《春秋》又明确宣示弑君这种大恶不应该被《春秋》诛讨，那么又有谁该被诛讨呢？所以《春秋》中不把那些不应该诛讨晋之赵盾、楚公子的言辞写下来，只是不愿意把这一点表明罢了。"又问："有人弑其君，重臣在场而不能诛讨，这样的事不仅仅发生在一个国家。晋灵公被弑，赵盾不在场，不在场与在场不一样，罪恶的程度是有轻重之分的。《春秋》一贯谴责那些在场而不讨贼的大夫，认为他们不是臣子；《春秋》用辞谴责在场而不讨贼者，才称之为弑，为什么它谴责那过错小的（不在场的赵盾）反而要超过谴责那过错大的（在场者）呢？"（我回答）说："《春秋》的大道，是根据人们的困惑而立说使之明白。赵盾虽贤却不明于理，人们都容易发现他的好处而不易见到他的恶，所以《春秋》因其善而加以大恶，大加批判，使读者沉思，有所省悟而返于大道。人们就会感叹说：啊！君臣大义，父子之道，至此而已！这就是虽然恶小却要重重指责的道理。所谓他国不讨贼，是说普通的民众，那怎么能数得清呢？不计其数而已。这就是虽然罪大却指责很轻的原因。古语说：罪行轻的要加重惩罚，罪行重的要减轻惩罚。不正是这个道理吗？所以《春秋》怀疑公子比不可以立为国君，怀疑赵盾有不臣的罪责，怀疑许止有不孝的过错。《春秋》是考虑到人不知恶而心无戒备，所以反复对之指责，以矫正乱世，使之正直，通常纠正错误时若不过分一点，就不能达到效果。如果明白了这一点那么《春秋》的道理就贯通了。"

卷 三

玉英第四

[题解]

《玉英》主要介绍《春秋》中的"微言大义"。比如为什么称"一元",以及"善善"、"恶恶"、避讳之法。董仲舒通过比较《春秋》在记载相似事件中所用的不同的文法,来表现孔子的政治态度。

谓一元者,大始也。知元年志①者,大人之所重,小人之所轻。是故治国之端在正名。名之正,兴五世,五传之外,美恶乃形,可谓得其真矣,非子路②之所能见。

惟圣人能属万物于一,而系之元也。终不及本所从来而承之,不能遂其功。是以《春秋》变一谓之元。元,犹原③也。其义以随天地终始也。故人唯有终始也,而生不必应四时之变。故元者为万物之本,而人之元在焉。安在乎?乃在乎天地之前。故人虽生天气④及奉天气者,不得与天元本、天元命而共违其所为也。故春正月者,承天地之所为也。继天之所为而终之也。其道相与共功持业。安容言乃天地之元?天地之元奚为于此恶⑤施于人?大其贯承意之理矣。

是故《春秋》之道,以元之深正天之端,以天之端正王之政,以王之政正诸侯之即位,以诸侯之即位正竟内之治。五者俱正，而化大行。

非其位而即之，虽受之先君，《春秋》危之，宋缪公是也。非其位，不受之先君，而自即之，《春秋》危之，吴王僚是也。虽然，苟能行善得众，《春秋》弗危，卫侯晋⑥以立书葬是也。俱不宜立，而宋缪受之先君而危，卫宣弗受先君而不危，以此见得众心之为大安也。故齐桓非直弗受之先君也，乃率弗宜为君者而立，罪亦重矣。然而知恐惧，敬举贤人，而以自覆盖，知不背要盟以自湔浣⑦也，遂为贤君，而霸诸侯。使齐桓被恶而无此美，得免杀戮乃幸已，何霸之有！鲁桓忘其忧而祸逮其身，齐桓忧其忧而立功名。推而散之，凡人有忧而不知忧者凶，有忧而深忧之者吉。《易》曰："复自道，何其咎。"此之谓也。匹夫之反道以除咎尚难，人主之反道以除咎甚易。《诗》云："德辀如毛。"言其易也。

［注释］

①志："志"字疑衍。②子路：又称季路，孔子的弟子。③原：通"源"，源头。④天气：天元，即天之大端。⑤恶（wū）：何，如何。⑥卫侯晋：即卫宣公。⑦湔浣（jiān huàn）：洗刷。

［译文］

所谓"一元"，就是事物的开始。"元年"的道理，受到"大人"的重视，而"小人"却对此轻慢。所以治国的开始重在序正名号。名号序正，则可以五代兴盛，五代以后，好的和恶的才显现出来，这可以称之为得到了真谛。这个道理子路是不可以洞见的。

只有圣人才能将万物统一于"一"，而以"元"为其开始。无所继承则不能成就其功业，所以《春秋》将"一"改称"元"，"元"即是源头的意思。"元"的道理与天地的存在共始终。人是有始终的，而其出生不必感应春夏秋冬四季的变化。"元"是万物的根本，而人的"元"又在哪里呢？在天地之前。所以人虽然生于天元并禀承天元，但不能违背天元之本、天元之命的所为。所谓"春三月"，即指（王）承继天地的作为并使之完备。"春三月"的大道与功业相得益彰。怎么能称为"天地之元"？"天地之元"又如何作用于人事呢？其实只是依照它的道理并扩大实行范围而已。

所以《春秋》的大道，是以"元"的深奥来端正天的端绪，以天的端绪来端正人王的政治，以人王的政治来端正诸侯的（国君）位置，以诸侯的位置来端正国内的治理。这五者都得到了端正，则教化可以施行。

不应该即位的（诸侯）即位了，即使是继承于自己的父亲，《春秋》也要谴责，宋缪公就是一个例子；不是从自己的父亲那里继承国君之位，《春秋》也谴责他，吴王僚就是一个例子；虽然出于同样情况，但如果能执政以善而得民心，《春秋》就不会谴责他，卫宣公就是一个例子；两者都是不宜即位的情况，但是宋缪公受位于先人而受谴责，卫宣公不是受位于先人而并不受到谴责，由此可见，能得到民心者才能大安。齐桓公不是直接受位于先人，而是除去了不宜为国君的兄长，自立为公，他的罪也非常大。但是他知道恐惧，尊重贤人而谦卑为下，知道不能违背重要的盟约，所以终成有贤德的国君，而称霸于诸侯。假使齐桓公顶着杀兄的恶名而又无此美行，他能够逃过被人杀戮就算是万幸了，哪里谈得上称霸诸侯呢？鲁桓公忽略了他应该忧患的事而最终遭到杀身之祸。齐桓公时时忧患而终成其霸业。以此推之，凡是人有忧患而不知其为忧患的，就会有危险，而有忧患却能时时提醒自己的，就会化险为夷。《周易》说："复自道，何其咎。"说的就是这个道理。普通人回归大道以除去忧患很难，而国君回归大道以除去忧患却很容易，《诗经》上说："美德像羽毛一样轻。"说的就是这个道理。

"公观鱼于棠"①，何？恶也。凡人之性，莫不善义，然而不能义者,利败之也。故君子终日言不及利,欲以勿言,愧之而已,愧之以塞其源也。夫处位动风化者,徒言利之名尔,犹恶之,况求利乎? 故天王使人求赙求金,皆为大恶而书。今非直使人也,亲自求之,是为甚恶。讥何故言观鱼? 犹言观社②也,皆讳大恶之辞也。

《春秋》有经礼,有变礼。为如安性平心者,经礼也;至有于性,虽不安于心,虽不平于道,无以易之,此变礼也。是故昏礼不称主人,经礼也;辞穷无称,称主人,变礼也。天子三年然后称王,经礼也;有故,则未三年而称王,变礼也。妇人无出境之事,经礼也;母为子娶妇,奔丧父母,变礼也。明乎经变之事,然后知轻重之分,可与适权矣。难者曰:"《春秋》事同者辞同。此四者俱为变礼,而或达于经,或不达于经,何也?"曰:"《春秋》理百物,辨品类,别嫌微,修本末者也。是故星坠谓之陨,螽③坠谓之雨,其所发之处不同,或降于天,或发于地,其辞不可同也。今四者俱为变礼也同,而其所发亦不同。或发于男,或发于女,其辞不可同也。是或达于常,或达于变也。"

桓之志无王,故不书王④,其志欲立,故书即位。书即位者,言其弑君兄也。不书王者,以言其背天子。是故隐不言立,桓不言王者,从其志以见其事也。从贤之志以达其义,从不肖之志以著其恶。由此观之,《春秋》之所善,善也,所不善,亦不善也,不可不两省也。

"《经》曰:'宋督弑其君与夷。'⑤《传》言:'庄公冯杀之。'⑥不可及于经,何也?"曰:"非不可及于经,其及之端眇,不足以类钩之,故难知也。《传》曰:'臧孙许与晋郤克同时而聘乎齐。'按经无有,岂不微哉! 不书其往而有避也。今此《传》言庄公冯，而于经不书，亦以有避也。是以不书聘乎齐，避所羞也。不书庄公冯杀，避所善也。是故让者《春秋》之所善。宣公不与其子而与其弟，其弟亦不与子而反之兄子，虽不中法，皆有让高，不可弃也。故君子为之讳不居正之谓，避其后也乱，移之宋督以存善志。此亦《春秋》之义，善无遗也。若直书其篡，则宣缪之高灭，而善之无所见矣。"难者曰："为贤者讳，皆言之，为宣缪讳，独弗言，何也？"曰："不成于贤也。其为善不法，不可取，亦不可弃。弃之则弃善志也，取之则害王法。故不弃亦不载，以意见之而已。苟志于仁，无恶⑦，此之谓也。"

[注释]

①公观鱼于棠：这是《春秋·隐公五年》当中的经文。公羊学派认为这是批评鲁隐公不应该与民众争利。②观社：观看祭社。所谓祭社，是一种男女聚会的地方，观社者志不在观其社，而是在观女色。所以按照周礼的制度，国君和诸侯都不宜观看。③螽（zhōng）：蝗虫类的昆虫。④桓之志无王，故不书王：桓指鲁桓公。桓公父鲁惠公曾立桓公为太子，惠公逝后因桓公年幼，由其兄隐公摄政，后来桓公弑兄即位。所谓"不书王"，是指在《春秋·桓公三年》记载"春正月"，不写"王"字。公羊家认为这是贬低桓公，认为他无礼，心中无天子。⑤宋督弑其君与夷：宋督，人名，即华督，宋国大夫。与夷，即宋殇公，宋宣公之子。⑥庄公冯杀之：冯，人名，宋穆公之子。此句原文见《公羊传·隐公二年》："庄公冯杀与夷。"⑦苟志于仁，无恶：语出《论语·里仁》："苟志于仁矣，无恶也。"意思是，如果真正有志于仁，就会对人对物一片公心，而无出于一己偏私之好恶了。

[译文]

"公观鱼于棠"是什么意思？是大恶。人的本性，没有不崇尚义的，然而最终不能为义行的原因，是出于利欲的干扰。所以君子说话不谈利益，这是通过不谈利益来表达自己羞愧于此，而羞愧之情就可以堵塞利欲的源头。处于教化民风地位的上层人士，平时只是口头讲讲利就应该以之为耻了，何况让他追求利呢！所以周王室派人向鲁国求取办理丧事的金钱，是作为大恶而被记载在书中。现在甚至不派使者而亲自求取，这是最大的恶事。为什么讥讽他"观鱼"呢？观鱼就好比观看祭社，都是避讳大恶的话。

《春秋》有长久不变的礼法，也有宜于变通的礼法。比如安性平心，就是长久不变的礼法；而性虽不及安、心虽不及平，但无改于道（则无妨），这就是宜于变通的礼法。所以办理婚礼不能称主家名号，是长久不变的礼法；而必须要称时，称主人名号，则是宜于变通的礼法。天子居丧三年后才可以称王，这是长久不变的礼法；居丧期间发生重大变故而称王，这就是宜于变通的礼法。妇人不出其国，是长久不变的礼法；而母亲为子娶妻，女儿给父母奔丧，就是宜于变通的礼法。明白了经变的道理，就知道事情的轻重缓急，则可以权变。有人发难说："《春秋》中事同则使用同样的言辞，以上四者，都是宜于变通的礼法，有的合于经典，有的不合于经典，这是为什么呢？"（我回答）说："《春秋》序理百物，分辨、区别名类，重在修本末。所以天上有星落下称之为陨，有蝗虫落下称之为雨，而其发源处有所不同，有的从天上落下，有的发源于地面，所以说法也就有所不同。上述四者同为宜于变通的礼法，而其所发源有所不同，有的发源于男，有的发源于女，所以说法也就有所不同。这就是有些符合长久不变而有些宜于变通的道理。"

鲁桓公心中无天子，所以《春秋》中桓公三年不书"王正月"；他心中想做鲁国的国君，《春秋》便称为"即位"。所谓"即位"，就是指他是杀兄而得君位；此年不书"王正月"，是说他背逆天子。所以鲁隐公不能称为"立为国君"，桓公不能称之国君，这是根据他心中所想来看待他所做的事。顺着贤者的心志，能够体会到他的大义；顺着不肖者的心志，能够发现他做恶之处。由此看来，《春秋》称之为善的，就是善的，称之为不善的，就是不善的，不能不从两个方面来全面省察。

（有人问:）"《春秋》说:'宋督杀了他的国君与夷。'《公羊传》说:'庄公冯杀了他(与夷)。'《公羊传》的说法与《春秋》的说法不一致,这是怎么回事?"（我回答）说:"这里并不是与《经》的内容有矛盾,只是其中的细节太微妙了,不能对它用类别辨析,所以一般人并不明白其中的道理。《公羊传》说:'臧孙许和晋郤克同时给齐国下聘礼。'而《经》中根本没有记载这件事,这难道不是微言吗？不写这件事是有所避讳。《公羊传》说是庄公冯杀与夷,而《经》中没有记载,这也是有所避讳。之所以不记载下聘礼给齐国,是避讳这是件羞辱的事。而不记载庄公冯杀了与夷,是避讳之前的善事（宣公、缪公的让位）。《春秋》所推崇的,是谦让。宣公的君位不传其子而传给他弟弟,他的弟弟也不将君位传给他的孩子反而传给其兄宣公的孩子,这些行为虽然不合乎礼法,但是都有谦让给贤能的意思,这一点是不能忘记的,所以君子为这件事隐瞒了实情,以回避后来发生的祸乱,将作乱之事安置在宋督身上,以此保存宣公等人的谦让之意。由此也可见《春秋》对义善之事没有遗漏。如果直接写为篡权,那么宣公和缪公的崇高志向就不为人知了,其中善的道理也就无所可见了。"辩难的人说:"为贤能的人避讳,经中都有出处；为什么为宣公、缪公避讳,经中没有出处呢？"（我回答）说:"因为他们与贤者不同。他们做善事却不合乎礼法,所以既不可采纳又不可抛弃。抛弃就会失去其谦让尚贤的善志,而采纳就会破坏王的大法。所以既不抛弃又不能记载在经文当中,要读者自己体会其意而能有所见。'苟志于仁,无恶'就是这个意思。"

器从名、地从主人①之谓制。权之端焉,不可不察也。夫权虽反经,亦必在可以然之域。不在可以然之域,故虽死亡,终弗为也,公子目夷是也。故诸侯父子兄弟不宜立而立者,《春秋》

视其国与宜立之君无以异也，此皆在可以然之域也。至于鄫取乎莒，以之为同居②，目曰莒人灭鄫，此在不可以然之域也。故诸侯在不可以然之域者，谓之大德，大德无逾闲者，谓正经。诸侯在可以然之域者，谓之小德，小德出入可也。权谲也，尚归之以奉钜经耳。故《春秋》之道，博而要，详而反一也。公子目夷复其君，终不与国，祭仲已与，后改之。晋荀息死而不听，卫曼姑拒而弗内，此四臣事异而同心，其义一也。目夷之弗与，重宗庙。祭仲与之，亦重宗庙。荀息死之，贵先君之命。曼姑拒之，亦贵先君之命也。事虽相反，所为同，俱为重宗庙、贵先帝之命耳。难者曰："公子目夷、祭仲之所为者，皆存之事君，善之可矣。荀息、曼姑非有此事也，而所欲恃者皆不宜立者，何以得载乎义？"曰："《春秋》之法，君立不宜立，不书，大夫立则书。书之者，弗予大夫之得立不宜立者也。不书，予君之得立之也。君之立不宜立者，非也。既立之，大夫奉之是也，荀息、曼姑之所得为义也。"

难纪季③曰："《春秋》之法，大夫不得用地。又曰：公子无去国之义。又曰：君子不避外难。纪季犯此三者，何以为贤？贤臣故盗地以下敌，弃君以避难乎？"曰："贤者不为是。是故托贤于纪季，以见季之弗为也。纪季弗为而纪侯使之可知矣。《春秋》之书事时，诡其实以有避也。其书人时，易其名以有讳也。故诡晋文得志之实，以代讳避致王也。诡莒子号谓之人，避隐公也。易庆父之名谓之仲孙，变盛谓之成，讳大恶也。然则说《春秋》者，入则诡辞，随其委曲而后得之。今纪季受命乎君而经书'专'，无善一名而文见贤，此皆诡辞，不可不察。《春秋》之于所贤也，固顺其志而一其辞，章其义而褒其美。今纪侯，《春秋》之所贵也，是以听其入齐之志，而诡其服罪之辞也，移之纪季。故告籴于齐者,实庄公为之,而《春秋》诡其辞,以予臧孙辰;以酅入于齐者,实纪侯为之,而《春秋》诡其辞,以与纪季。所以诡之不同,其实一也。"难者曰:"有国家者,人欲立之,固尽不听,国灭君死之,正也,何贤乎纪侯?"曰:"齐将复仇,纪侯自知力不加而志距之,故谓其弟曰:'我宗庙之主,不可以不死也。汝以酅往,服罪于齐,请以立五庙,使我先君岁时有所依归。'率一国之众,以卫九世之主。襄公逐之不去,求之弗予,上下同心而俱死之。故谓之'大去④'。《春秋》贤死义,且得众心也,故为讳灭。以为之讳,见其贤之也。以其贤之也,见其中仁义也。"

[注释]

①器从名、地从主人:语出《公羊传·桓公二年》。②同居:《诸子平议》中说:"同居,疑是司君。司君者,嗣君也。"所谓"嗣君",即有继承之意。③纪季:纪侯的弟弟。纪国被齐国吞并,纪侯不能屈从于齐国,将国让于纪季。④大去:即国家灭亡。

[译文]

器物以其名为归属、土地以其主人为归属就是所谓制度。对于权变的开端,人们不可以不详加体察。权变之法虽然违反常道,但也必须在可以接受的范围之内。如果不在可以接受的范围内,那么(君子)即使为之牺牲或逃亡也在所不惜,宋国公子目夷就是一个例子。所以各诸侯国的父子兄弟,有不宜于立为国君的被立为国君,《春秋》看待这个国家,与那宜于立为国君者没有什么差别,这都在可以接受的范围之内;至于鄫国占领莒国,并将这一行为视之为"继承",而《春秋》就称之为莒国占领鄫国,这不在《春秋》可以接受的范围之内。所以诸侯的行为在不可以随意的领域,称为"大德"(根本的原则),根本的原则是不可逾越的,称之为正经。诸侯所为在可以随意的领域内,称为"小德"(小的原则),

小德所为便可以权变。所谓权变,最终还是要归奉于正经。所以《春秋》的大道,广博而有要点,详尽而返归于一。宋国公子目夷将国位归还给国君,而最终也没有继承君位;祭仲将国让出,然后又重新夺回;晋国大夫荀息至死不听命,卫国大夫曼姑按照卫灵公的遗命辅佐辄而拒绝接受蒯聩。这四位大臣虽然行为不同但忠君之心无异,所以均归于义。目夷不降,是重视宗庙。祭仲让国,也是重视宗庙。荀息因尊重先王之命而死,曼姑也是尊重先王之命而拒绝蒯聩回国。事情虽然相反,但所做却相同,都是重视宗庙、尊重先王之命。辩难的人说:"公子目夷和祭仲所为,都是为了国君,可以称善。荀息、曼姑并非真做过这些事,而且他们所辅佐的国君都是不宜于做国君的,怎么能以义来记载他们的行为呢?"(我回答)说:"《春秋》的大法,君主立了不适合的储君做了下一任国君,就不记载,大夫立国君则要记载。之所以记载,是表示不赞成大夫立不合适的国君。不记载,是表示赞成国君有立储的权力。君主立了不合适的储君为国君,这是不对的。但既已立为国君,大夫辅佐就是应当的,所以荀息、曼姑的行为可以称为义。"

有人责难纪季说:"《春秋》的大法,大夫不能擅自处置土地。又说:公子不能离国而去。又说:有道德的人不逃避外来的侵略。纪季犯有此三罪,怎么能称之为贤?贤臣就是偷取国土献给敌人,离弃国君而逃避外来的侵略吗?"(我回答)说:"贤能的人不会这样做的。之所以假托称赞纪季,是要显出纪季的无所作为;由纪季的无所作为,我们就可以了解这是纪侯授意他这么做的。《春秋》记载历史事件,有时会改变历史真相,是有所避讳;记载人物,有时会更改他的名字,也是有所避讳。所以改变晋文公得志之实情,以避讳他对天子的不敬。不称呼莒子而称之为莒人,是避讳鲁隐公。变更庆父的名字而称之为仲孙,改变盛国的国名而称为成国,是避讳其大恶。然则论说《春秋》的人,是通过诡辞随其委曲而得到真相的。纪季受命于国君而经书中记载为'专',没有善名,可是《春秋》却以文辞见其贤德,这些都是诡辞,不可以不详察。《春秋》所要赞美的贤能之人,是依据他的心志而使用同一的文辞,表彰他的义行而褒奖其美德。纪侯是《春秋》所要赞美的,所以审察其所以顺从齐国的心志,将去国之罪移置于纪季。同样的,向齐国借粮,实际上是鲁庄公所为,但《春秋》改变言辞,将借粮之事移置于臧孙辰。将鄑国划割给齐国,实际是纪侯做的,而《春秋》改变事实,将此事移置在纪季身上。虽然所改变的事不同,其实质是一样的。"责难的人说:"有国家者,人欲立之,即使不听,国家灭而国君殉国,是应该的,纪侯怎么能称贤呢?"(我回答)说:"齐国想复仇,纪侯知道自力不足但又心中拒斥,所以对他弟弟(纪季)说:'我是宗庙之主,国家有难我不应该苟活。你把鄑邑献给齐国,接受齐国的统治,请立宗庙,使我国先王年逢祭祀之时有人祭祀。'之后纪侯就带领一国的民众,来保卫先祖的灵位。襄公驱逐他们而不离去,要求他们交出来土地,他们不屈服,最后上下同心而俱死。因此《春秋》避讳地称之为'大去(灭国)'。《春秋》称赞其临死的大义,并且因为纪侯得到了民心,所以避讳言其灭国。以这种避讳而使后人知道他的贤德。以其贤德,可以看到其中的仁义。"

卷 五

灭国上第七

[题解]

《灭国》分上下两篇，主要讲述春秋时期一些小国被灭亡的缘故。指出造成这一现象的原因主要是国君失德以及君臣不同心。国君失德就会给外敌留下可乘之机，友邦也不去救援，再加上君臣不和，最后往往导致君弑国灭。

王者，民之所往。君者，不失其群者也①。故能使万民往之，而得天下之群者，无敌于天下。弑君三十六，亡国五十二。小国德薄，不朝聘大国，不与诸侯会聚，孤特不相守，独居不同群，遭难莫之救，所以亡也。非独公侯大人如此，生天地之间，根本微者，不可遭大风疾雨，立铄消耗。卫侯朔固事齐襄，而天下患之，虞虢并力，晋献难之。晋赵盾，一夫之士也，无尺寸之土，一介之众也。而灵公据霸主之余尊，而欲诛之，穷变极诈，诈尽力竭，祸大及身。推盾之心，载小国之位，孰能亡之哉？故伍子胥②，一夫之士也，去楚干阖庐，遂得意于吴。所托者诚是，何可御邪？楚王髡托其国于子玉得臣③，而天下畏之。虞公托其国于宫之奇，晋献患之。及髡杀得臣，天下轻之。虞公不用宫之奇，晋献亡之。存亡之端，不可不知也。诸侯见加以兵，逃遁奔走，至于灭亡，而莫之救，平生之素行可见也。隐代桓立，所谓仅存耳,使无骇帅师灭极,内无谏臣,外无诸侯之救;载亦由是也,宋、蔡、卫国伐之,郑因其力而取之。此无以异于遗重宝于道而莫之守,见者掇之也。邓、谷失地而朝鲁桓,邓、谷④失地,不亦宜乎?

[注释]

①"王"与"往","君"与"群"音近义通,可以互训。②伍子胥:楚国大夫伍子胥遭楚王诛其父,出逃至吴国,为吴王阖(hé)闾(lú)效命。③髡(kūn):即楚成王。子玉:名得臣,楚大夫,城濮之役战败后成王怪罪,自杀。④邓、谷:国名。

[译文]

王的意思是人民所归往。君的意思是不失去其群众。因此那些能使万民归往,而得到天下的群众的人,就会无敌于天下。整个春秋时期,臣弑君主三十六人,国家灭亡五十二个。那些小国浅薄,不知道参加朝聘,而大国之间也不会聚,国君孤立无援,上下失守,遭到祸患没人去救助,这就是他们所以灭亡的缘故啊。不仅仅公侯大人是这样的,生于天地之间的万物都是如此。根本都是脆弱的,遭到大风疾雨的摧残,很快就会消亡。卫惠公侍奉齐襄公,天下人都惧怕他。虞国与虢国曾经团结合力,就使晋献公无法对他们下手。晋国的赵盾,只是一个普通的士而已,连尺寸之封地都没有,就自己一个人。晋灵公贵为诸侯霸主,却极力地要除掉此人,穷尽诡计、精疲力竭,最后的结果是咎由自取。若灵公能真诚对待赵盾,即使晋国是一个小国,又有谁能灭亡晋国呢?伍子胥,也是一个普通人,离开楚国去投奔吴王阖闾,在吴国受到了重用。吴王如此将国家托付子胥,谁又能抵挡吴国之强大呢?

楚成王托付楚国于子玉的时候,天下人都惧怕楚国。虞公托付虞国于宫之奇的时候,晋献公惧怕虞国。但到后来成王使子玉自杀,天下诸侯就开始轻视楚国了。虞公不用宫之奇的时候,献公就把虞国给攻灭了。这就是存亡之端啊，不可不知。这些亡国之君，诸侯以兵相加的时候，他们到处逃命，而没有人愿意救他们。这可见是他们平时的行为不端造成的。鲁隐公代替桓公执政，他仅仅是暂时做国君而已，但是鲁国就敢派无骇率军攻灭极国。这是因为极国内无人进谏，外无诸侯相救。载国也是这样，宋国、蔡国、卫国一起攻打载国，其后又被郑国乘机灭亡。这些国君对待自己的国家就像在大路上扔下贵重的财宝，而没有派人看守它，那么谁见了都会去捡拾。还有像邓国与谷国，失去土地以后还要去朝拜桓公，那么他们失地不是应得的吗？

灭国下第八

纪侯之所以灭者，乃九世之仇也。一旦之言，危百世之嗣，故曰大去。卫人侵成①，郑入成，及齐师围成，三被大兵②，终灭，莫之救，所恃者安在？齐桓公欲行霸道，谭遂违命③，故灭而奔莒。不事大而事小，曹伯之所以战死于位。诸侯莫助忧者。幽之会，齐桓数合诸侯，曹小，未尝来也。鲁大国，幽之会，庄公不往。戎人乃窥兵于济西，由见鲁孤独而莫之救也。此时大夫废君命，专救危者。鲁庄公二十七年，齐桓为幽之会，卫人不来。其明年，桓公怒而大败之。及伐山戎，张旗陈获以骄诸侯。于是鲁一年三筑台，乱臣比三起于内，夷狄之兵仍灭于外。卫灭之端，以失幽之会。乱之本，存亲内蔽。邢未尝会齐桓也，附晋又微，晋侯获于韩而背之，淮之会是也。齐桓卒，竖刁、易牙之乱作。邢与狄伐其同姓④，取之。其行如此，虽尔亲，庸能亲尔乎？是君也，其灭于同姓，卫侯毁灭邢是也。齐桓为幽之会，卫不至，桓怒而伐之。狄灭之，桓忧而立之。鲁庄为柯之盟，劫汶阳，鲁绝，桓立之⑤。邢杞未尝朝聘，齐桓见其灭，率诸侯而立之，用心如此，岂不霸哉？故以忧天下与之。

[注释]

①成：国名，即郕（chéng）。②被大兵：遭受战乱。被，遭受的意思。

③谭：国名。遂：由于。④伐其同姓：伐指伐卫，卫与邢国都是姬姓国家。⑤此句指庄公三十年鲁臣曹沫劫持齐桓公，以逼迫齐归还鲁地汶阳之事。

[译文]

纪侯之所以被齐国所灭，是齐襄公欲报其九世祖（被纪侯先祖陷害）之仇。（纪侯先祖）一时说的话，却危害到了子孙后代，因此《春秋》把这件事说成是"大去"。卫国侵略郱国，郑国攻入郱国，齐国的军队也包围过郱国，郱三次遭受战乱，最终被灭亡了，没有人来相救，郱国能凭恃什么呢？齐桓公欲行霸道，谭国就抗命不从，被灭国后国君逃亡莒国。曹国国君与戎人交战而死，诸侯不去救援他，这是曹国不事大国而事小国的原因啊。当时齐桓公要联合诸侯在幽地开会，曹国小，国君不来。鲁国是个大国，当时也不参加，戎人敢于派兵到鲁国的济西一带窥探，因为他们发现鲁国陷入孤立，诸侯不会救它。这个时刻，各国的大夫不听君命，在危机关头拯救了鲁国。鲁庄公二十七年，齐桓公在幽地举行诸侯大会，卫国不来，齐桓公大怒，第二年大败卫国。其后桓公讨伐山戎，举行盛大的祝捷仪式在诸侯面前炫耀武力。这一年鲁国三次高筑城台，乱臣贼子接二连三地出现，外有夷狄侵略，但仍然被齐国帮助将其（夷狄）消灭。卫国被灭的原因，是不参加幽地之会，鲁国发生内乱的原因是内部家臣的争斗。邢国没有参加过齐国主持的盟会，它依附于晋国，国势衰微。晋侯与秦国交战，被秦国俘获，因此晋国与邢国也没参加在淮地的盟会。齐桓公死后，竖刁、易牙作乱，邢国伙同狄人攻伐同姓之卫国，攻下了卫国。邢国的行为如此不堪，虽然是亲戚之国，又能真的亲近吗？因此邢国最后被卫国毁灭了。齐桓公举行幽地的盟会，卫国不来参加，桓公发怒而攻打卫国。狄人乘机灭卫，但是桓公担忧卫人的命运，又帮助卫国复国了。鲁庄公在柯地与齐国结盟时，手下人劫持桓公，逼齐国归还汶阳，但是在庄公死后，齐国还帮助鲁君即位。邢国、杞国没有参加齐国主持的朝会，齐桓公看到他们灭亡以后，仍旧率领诸侯帮助他们复国。齐桓公如此用心，能不称霸于天下吗？因此忧心天下的君主就会使人心归往。

随本消息第九

[题解]

《随本消息》讨论了"天命"与人事的问题。人生中有些事是命运决定的,圣人也不可改变,而有些事却在于人为。国家之兴衰其实取决于国君在政治、军事、外交等方面是否实行了正确合理的政策。

颜渊死,子曰:"天丧予。"子路死,子曰:"天祝①予。"西狩获麟②,曰:"吾道穷,吾道穷。"三年,身随而卒。阶此而观,天命成败,圣人知之,有所不能救,命矣夫。

先晋献之卒,齐桓为葵丘③之会,再致其集。先齐孝未卒一年,鲁僖乞师取谷④。晋文之威,天子再致,先卒一年,鲁僖公之心分而事齐,文公⑤不事晋。先齐侯潘⑥卒一年,文公如晋,卫侯、郑伯皆不期来。齐侯已卒,诸侯果会晋大夫于新城⑦。鲁昭公以事楚之故,晋人不入。楚国强而得意,一年再会诸侯,伐强吴,为齐诛乱臣,遂灭厉⑧。鲁得其威以灭鄫。其明年如晋,无河上之难。先晋昭之卒一年,无难。楚国内乱,臣弑君⑨。诸侯会于平丘,谋诛楚乱臣,昭公不得与盟,大夫见执。吴大败楚之党六国于鸡父⑩。公如晋而大辱,《春秋》为之讳而言有疾。由此观之,所行从不足恃,所事者不可不慎。此亦存亡荣辱之要也。先楚庄王卒之三年,晋灭赤狄潞氏及甲氏留吁⑪。先楚子审卒之三年,郑服萧鱼。晋侯周卒一年,先楚子昭卒之二年,与陈蔡伐郑而大克。其明年,楚屈建会诸侯而张中国。卒之三年,诸夏之君朝于楚。楚子卷继之,四年而卒。其国不为侵夺,而顾隆盛强大,中国不出年余⑫,何也?楚子昭盖诸侯可者也,天下之疾其君者,皆赴愬而乘之。兵四五出,常以众击少,以专击散,义之尽也。先卒四十⑬五年,中国内乖,齐、晋、鲁、卫之兵分守,大国袭小,诸夏再会陈仪,齐不肯往。吴在其南,而二君杀⑭,中国在其北,而齐、卫杀其君,庆封劫君乱国,石恶之徒聚而成群,卫衎据陈仪而为谖⑮,林父据戚而以畔,宋公杀其世子,鲁大饥。中国之行,亡国之迹也。譬如于文、宣之际,中国之君,五年之中五君杀⑯。以晋灵之行,使一大夫立于棐林,拱揖指扨,诸侯莫敢不出,此犹隰之有泮也⑰。

[注释]

①祝:同"断",断绝。②西狩获麟:鲁哀公于十四年狩猎捕获麒麟。③蔡丘:春秋时齐国地名,在今天河南兰考及民权之间。④鲁僖乞师取谷:鲁僖公二十六年,鲁国借楚军伐齐,夺取谷地。⑤文公:鲁文公。⑥齐侯潘:齐昭公,名潘。⑦新城:春秋时宋国地名,在今河南商丘市南。⑧乱臣:指齐国庆封,于鲁襄公二十八年作乱于齐,失败后奔吴,昭公四年被楚共王诛杀。厉:春秋时小国名,又名"赖"。⑨臣弑君:楚公子弃疾,胁迫公子比为军,逼死楚灵王,后又杀死公子比,自立为王。齐、晋等国在平丘会盟,谋划讨伐楚国。⑩六国:楚的六个盟国顿、胡、沈、蔡、陈、许。鸡父:楚地名。⑪潞氏及甲氏留吁:均为赤狄的分支。⑫不出年余:此处疑有阙文。⑬四十:十为衍字。⑭二君杀:指吴子馀祭、王僚先后被杀。⑮谖(xuān):欺诈作乱。⑯五君杀:五个君主被杀。文公十六年,宋昭公被杀;十八年,鲁君子恶被杀,莒纪公被杀。宣公三年,晋灵公被杀;四年,郑灵公被杀。⑰隰(xí):湿地。泮(pàn):岸。

[译文]

颜回去世的时候，孔子悲伤地说："上天这是要亡我呀。"子路去世的时候，孔子说："上天这是要断绝我呀。"听说鲁哀公西部打猎时捕获到麒麟，孔子说："我的道穷尽了，我的道穷尽了。"过了三年，孔子就去世了。由此看来，天命与成败，圣人是知道的，有时不是人力可为的。

在晋献公去世之前，齐桓公举行了葵丘的盟会，这是他第二次召集诸侯盟会。在齐孝公去世前的第二年，鲁僖公借助楚国的救兵收取会谷地。晋文公的威望使得周天子两次前来晋国。在晋文公去世的前一年，鲁僖公在侍奉晋国的同时也侍奉齐国，但到文公的时候就不再侍奉晋国了。在齐侯潘去世的前一年，鲁文公到了晋国，卫侯、郑伯也不约而同地到了。齐侯去世之后，各国果然在新城与晋大夫会盟。鲁昭公因为亲近楚国，被晋国排斥在盟会之外。楚国强大且自以为了不起，在一年之中两次召集诸侯盟会，攻打强大的吴国，替齐国诛灭发动内乱的臣子庆封，并灭掉了厉国。鲁国也借着楚国的余威灭掉了鄫国。第二年，鲁昭公拜访晋国，没有发生上一次在黄河边被羞辱那样的难堪事件。在晋昭公去世前一年，鲁国也没有发生什么灾难。但楚国国内发生了臣弑君的动乱，于是诸侯在平丘会盟，商议讨伐楚国叛乱的事情，昭公没能参加会盟，大夫季孙隐如被晋国拘捕。吴国在鸡父一战中，大败楚国的六个同盟国。鲁昭公到晋国去，受到很大的羞辱，《春秋》替他避讳此事，说他是有病才回国。由此看来，凡事依赖所侍奉的人是不可取的，国君对此不可不谨慎。这也是关乎国家生死存亡的。在楚庄王去世前的第三年，晋国灭掉了赤狄的分支潞氏、甲氏和留吁。在楚王审去世前三年，郑国在萧鱼臣服于鲁。在晋侯周去世一年后，楚王昭去世前两年，鲁国联合陈国、蔡国攻打郑国取得胜利。第二年，楚国大夫屈建与诸侯盟会，楚国在中原扩展了它的势力。楚王昭死去世后三年，中原各国国君到楚国拜访，楚王卷继承了君位，四年后去世。他的国家不受别国侵犯掠夺，称霸于中原，只用了不到一年的时间，这是为什么？楚王昭是各诸侯所认可的，天下痛恨自己国君的贵族，都跑来向他哭诉，昭王便借这一形势，四五次出兵，常常以众欺少，以预谋欺无备，完全没有正义可言了。在昭王去世之前四五年，中原各国矛盾重重，齐国、晋国、鲁国、卫国的军队，各自分兵防守，大国欺负小国的情况频繁。中原各国在陈仪会盟，齐国不肯参加。吴国在中原的南方，它的两位国君先后被杀，中原在吴国的北方，齐国、卫国先后杀死各自的国君，齐国大夫庆封胁持国君发动叛乱，卫国的石恶结党叛乱，卫衍在陈仪欺君叛乱，晋大夫林父依托戚地发动叛乱，宋公杀死自己的长子，鲁国发生饥荒。中原各国的行为，都是亡国之象。如在鲁文公、宣公年间，中原各国的君主，五年当中就有五名被杀。以晋灵公的情况为例，一名大夫在棐林召集诸侯盟会，各诸侯竟然听从他的指挥，没有人敢不听命，这如同"湿地也总是有边岸的"一样。

正贯第十一

[题解]

　　天下若要治理得井然有序，就必须规定好君臣各自的职分。而这需要树立根本的尊卑大义。这一大义来自于天道，来自于天地、四季以及自然万物。因此，人们要明白人间的政治秩序是天道安排的，要尊重天道自然。

　　《春秋》，大义①之所本耶！六者之科，六者之恉②之谓也。然后援天端③，布流物，而贯通其理，则事变散其辞矣。故志得失之所从生，而后差④贵贱之所始矣；论罪源深浅，定法诛，然后绝属⑤之分别矣；立义定尊卑之序，而后君臣之职明矣；载天下之贤方，表谦义之所在，则见复正焉耳。幽隐不相逾，而近之则密矣；而后万变之应无穷者，故可施其用于人，而不悖其伦矣。是以必明其统于施之宜，故知其气矣，然后能食⑥其志也；知其声矣，而后能扶其精也；知其行矣，而后能遂其形也；知其物⑦矣，然后能别其情也。故倡而民和之，动而民随之，是知引其天性所好，而压其情之所憎者也。如是则言虽约，说⑧必布矣；事虽小，功必大矣。声响盛化运于物，散入于理，德在天地，神明休⑨集，并行而不竭，盈于四海而讼⑩咏。《书》曰："八音克谐，无相夺伦，神人以和。"⑪乃是谓也。故明于情性，乃可与论为政，不然，虽劳无功。夙夜是寤，思虑惓心，犹不能睹，故天下有非者。三示当中孔子之所谓非，尚安知通哉⑫！

[注释]

①大义：指根本的道理。②恉：意旨，思想。③天端：指春季。④差：区别，区分。⑤属：继续，连续。⑥食：即养，修养。⑦物：事情，物事。⑧说：指德行。⑨休：美好。⑩讼：同"颂"，歌颂，赞美。⑪"八音克谐"三句：出自《尚书·尧典》，说的是音乐使人神之间相通、和谐。⑫此句不知何意。卢文弨说此句"文讹难晓"。

[译文]

《春秋》是治理天下所依据的根本啊！六种评价贤能的标准，讲的是六种不同的意旨。然后援引一年的春季为起始，遍及万物，将自然万物的道理贯通，就用一定的言辞记录事物的变化。所以记载得失产生的根源，然后区分出贵贱出现的开端。研究罪恶根源的深浅，确定惩罚的轻重，然后采取相应的断绝或继续的措施。树立大义来确定尊卑的秩序，然后君臣的职分就分清楚了。记录天下好的方法，表达谦让美德所在之处，就可表明恢复正道之意。幽隐和显明不能用来互相说明，但用来作为近譬，还是能够说明它们之间的密切联系的。此后以千变万化的事物应对无穷的变化，可以施用于各类人物，而不会违背常理。因此必须明晰他的治道在施行中是否适宜，熟悉他们的气质，才能锻炼他们的意志；知道他们的声音，才能扶助他们的精神；明晓他们的行为，才能顺遂他们的形质；了解他们的事情，此后才能识别他们的情感。因此有倡导，百姓才能附和，有行动，百姓才能随从，这样就知道引导人们本性所喜好的，压制人们情感所憎恶的。这样的话，虽然言辞简单，但德行一定到处传播；虽然事情小，但功业一定很大。声音很大，影响万物，道理分散在万物之中，德行散布在天上、地下，神明美好地聚集，实行于万物而不竭尽，充盈天下而不断地被赞美。《尚书》

说:"各种乐器的声音能够调和,不使它们乱了次序,那么神和人都会因此而和谐了。"说的就是这个道理。所以懂得事物的本性,就可以和他探讨管理政事的道理,否则即是困顿劳苦也不会有好结果。从白天到夜晚都清醒,费尽心思去思考,还不能认清事物的本性,所以世人要非议他。

十指第十二

[题解]

《春秋》有十种意旨，这十种意旨是关乎其内容与说明其取向的。《春秋》二百四十二年的史实都可用这十种意旨来包括。同时，每一种意旨也都来自于天道。这就是《春秋》的纪事之法。

《春秋》二百四十二年之文，天下之大，事变①之博，无不有也。虽然，大略之要有十指②。十指者，事之所系也，王化③之所由得流也。举事变见有重焉④，一指也。见事变之所至者，一指也。因其所以至者而治之，一指也。强干弱枝，大本小末，一指也。别嫌疑，异同类，一指也。论贤才之义⑤，别所长之能，一指也。亲近来远，同民所欲，一指也。承周文而反之质⑥，一指也。木生火，火为夏，天之端，一指也。切⑦刺讥之所罚，考变异之所加，天之端⑧，一指也。举事变见有重焉，则百姓安矣；见事变之所至者，则得失审矣；因其所以至而治之，则事之本正矣；强干弱枝，大本小末，则君臣之分明矣；别嫌疑，异同类，则是非著⑨矣；论贤才之义，别所长之能，则百官序矣；承周文而反之质，则化所务立矣；亲近来远，同民所欲，则仁恩达矣；木生火，火为夏，则阴阳四时之理相受而次矣；切刺讥之所罚，考变异之所加，则天所欲为行矣。统此而举之，仁往而义来，德泽广大，衍溢于四海，阴阳和调，万物靡不得其理矣。说《春秋》者凡用是矣，此其法也。

[注释]

①事变：历史事件与变故。②指：同"旨"，意旨。③化：教化。④见：表现。重：偏重，侧重。⑤义：适宜，合适。⑥文：文采。质：朴实，质实。⑦切：考察，审查。⑧端：开端，开始。这里指春天。⑨著：显现，显明。

[译文]

《春秋》记载二百四十二年的历史，天下的广大，历史事件和变故的广博，没有不记载的。虽然如此，大体上有十种意旨。十种意旨，是和事物联系在一起的，君王教化要依此而展开。列举历史事件和变故，在表现上有所侧重，这是一种意旨。发现历史事件和变故所导致的结果，这是一种意旨。因循事物所致之理而处置它，这是一种意旨。使主干强大、枝叶弱小，使根本强大、末梢弱小，这是一种意旨。区别因事理相似而产生的疑虑，辨别同类事物的差异，这是一种意旨。讨论贤才产生的道理，区别人们所擅长的才能，这是一种意旨。使邻近的人们亲密和睦，使远方的人们前来依附，与百姓一同欢乐，这是一种意旨。继承周朝重文的礼乐制度同时返回到原来的质朴，这是一种意旨。火由木而生，火是夏季，木是一年的开端，这是一种意旨。审查讥刺的惩罚，考察异常现象的增加，是自然的一个开端，这是一种意旨。列举历史事件和变故，在表现上有所侧重，百姓就会安定；发现历史事件和变故所达到的结果，就会审慎地对待得失；根据事物的所以然而采取相应的对策，事物的根本就会得到端正；使主干强大、枝叶弱小，使根本强大、末梢弱小，君臣的职分就能够划清楚了；区别因事理相似而产生的疑虑，辨别同类事理的不同，是非的区别就能够明显了；研究贤能之人的做事原则，辨别他们所擅长的才能，各种官吏的秩序就有顺序了；继承周王朝重文的礼乐制度同时返回到原来的质朴，教化所要达到的就能确立了；使邻近的人们亲密和睦，使远方的人们前来依附，和百姓同欢乐，仁德、恩惠就会到来；火由木而生，火是夏季，阴阳四季就有了次序；审查人们讥刺所惩罚的对象，考察自然灾异现象发生的原因，那么上天想要做的事情就会施行。由此类推，正义得到确立，恩德的广泛润泽，在四海发扬光大，阴阳协调，世间万物没有不顺遂其自然之理的。讲论《春秋》的人都用这样的方法，这就是《春秋》的法则。

卷 六

服制像第十四

[题解]

此篇讲服饰与礼制的关系。服饰是用来装饰人的,因此具有重要的作用,尤其是表现在礼制之中。礼乐中的容服模仿天象,具有威严的外貌。君子可以用服饰来表达自己的心志,从而获得别人的尊敬,免受狎侮。有威严的服饰也可使居心不良之人不敢造次。

天地之生万物也以养人,故其可食①者以养身体;其可威者以为容服,礼之所为兴也。剑之在左,青龙之象也;刀之在右,白虎之象也;韨之在前,赤鸟之象也;冠之在首,玄武之象也②。四者,人之盛饰也。夫能通古今,别然不然,乃能服此也。盖玄武者,貌之最严有威者也,其象在后,其服反居首,武之至而不用矣。圣人之所以超然,虽欲从之,末由也已!夫执介胄③而后能拒敌者,故非圣人之所贵也。君子显之于服,而勇武者消其志于貌也矣。故文德为贵,而威武为下,此天下之所以永全也。于《春秋》何以言之?孔父④义形于色,而奸臣不敢容邪;虞有宫之奇⑤,而献公为之不寐;晋厉之强,中国以寝尸流血不已。故武王克殷,裨冕⑥而播笏⑦,虎贲之士说剑,安在勇猛必任武杀然后威。是以君子所服为上矣,故望之俨然者,亦已至矣,岂可不察乎!

[注释]

①食:苏舆本作"适"。②青龙:东方星象名,属木。白虎:西方星象名,属金。赤鸟:即朱雀,南方之星。玄武:北方之星。③介胄(zhòu):介为甲,胄为头盔。④孔父:即孔父嘉,孔子的先祖。鲁桓公二年被宋督所杀。⑤宫之奇:虞国贤臣。⑥裨(pí)冕:裨衣与冠冕,都为正式礼服。⑦笏(hù):即笏板,上朝所用。

[译文]

天地生有万物是用来养育人类的,因此(人们)把那些可以入口的食物拿来滋养身体;把那些富于威仪的物类拿来作为人的服饰。这就是礼制兴起的缘由。将剑佩带在人身体的左边,这是表示天上青龙的星象;将刀佩带在右边,这是表示天上的白虎;蔽膝穿在前面,是代表朱雀的星象;而头上着冠则代表了玄武星宿。前面所说的这四种装饰(剑、刀、韨、冠)就是人的盛装了。而人类之中,只有那些通晓古今之变、明辨是非者才有资格穿戴它们。玄武是四象之中最有威仪的了,排在四象之末,但它的代表服饰——冠,却居于服饰之首,这种排列是为了表示一种武德——虽具有最强大的武力但持而不用。圣人之德超出凡俗之人很远,人们虽然心向往之,但很难达到那样的境界啊!凡俗之人,只有披甲戴胄才可以威慑敌人,而这些甲胄兵器之类根本不是圣人所倚重的。在君子那里,不可侮之气充分显示在他的衣着上。那些徒有气血之勇的匹夫只要一看到君子所穿戴的服饰,就会立即丧失了勇气。因此,文德才是最为尊贵的,至于威武之德则次之,(人们崇尚文德)这就是天下所以能够长久太平的缘故。(我所说的这些道理)在《春秋》中是怎样提到的呢?《春秋》说,孔父这个人正义之气显于脸色,奸臣见到他就不敢造次;虞国有宫之奇那样正直持重的贤臣辅佐朝政,邻国的晋献公就为之睡不安稳;晋厉公强狠不仁,毫无威仪，晋国就为此国中大乱，流血不已。正因为懂得这个道理（文饰可以代表文德），周武王在灭掉殷商之时，特意（脱去戎服）穿上裨衣礼服、戴上冠冕，在衣带间插上朝板（表示此后卸甲休兵、以文德治世）。虎贲勇士们也懂得击剑之道——武士们的威武之姿难道要在厮杀之后才足以表现出来吗？因此君子穿着什么样的服饰这一点十分重要，那些看起来有威严庄重之象的服饰，君子在穿上它的同时就已经达到了宣示这种精神的目的。这个道理如此明白，人们难道可以不详加考察吗？

二端第十五

[题解]

《二端》讲的是"天人感应"。所谓"二端"是指两方面,一为天子受命改制,一为重视灾异现象。上天以灾异表达自己对人事的好恶,因此圣人能够从种种灾异之中、从或显或微的迹象中体会到上天的意志。《春秋》中记载了种种怪异现象,是希望人们从灾异中学会修身自省和畏惧天道。

《春秋》至意有二端,不本①二端之所从起,亦未可与论灾②异也。小大微著之分也。夫览求微细于无端之处,诚知小之将为大也,微之将为著也。吉凶未形③,圣人所独立也,虽欲从之,末由也已,此之谓也。故王者受命,改正朔,不顺数而往,必迎来而受之者,授受之义④也。故圣人能系心于微,而致之著也。是故《春秋》之道,以元之深正天之端,以天之端正王之政,以王之政正诸侯之即位,以诸侯之即位正竟内之治,五者俱正而化大行。故书日蚀、星陨、有蜮、山崩、地震、夏大雨水、冬大雨雪、陨霜不杀草,自正月不雨至于秋七月,有鹳鹆来巢,《春秋》异之,以此见悖乱之征。是小者不得大,微者不得著,虽甚末,亦一端。孔子以此效之,吾所以贵微重始是也。因恶夫推灾异之象于前,然后图安危祸乱于后者,非《春秋》之所甚贵也。然而《春秋》举之以为一端者，亦欲其省天谴而畏天威，内动于心志，外见于事情，修身审⑤己，明善心以反道者也，岂非贵微重始、慎终推效者哉！

[注释]

①本：凌曙本"本"作"分"。②栽："灾"的异体字。③形：表现。④义：义理。⑤审：审查，明察。

[译文]

《春秋》最深的意旨有两个方面，如果不清楚这两个方面的思想从何而来，也就不可以讨论灾异变化。事物有小大和微著的区分。从事物尽头之处寻求细微的征兆，就可以知道小事如何变成大事，细微变化如何转为显著变化。吉凶没有显现，圣人能够独自做事，（众人）虽然想跟从他，但也不知道怎样跟从，说的就是这个道理。所以君王受天命，改纪元，不顺从原来的月份而重新开始，这就是授予和接受的义理。所以圣人能用心体察细微之征，而以行动使它的意义明显。因此《春秋》的法则，用元气来定天的开端，用天的开端来定天子之政，用天子之政来定诸侯的继承君位，用诸侯继承君位来定国内的统治，这五个方面都已定后，教化就可以推行。所以记载日蚀、星星陨落、蝗虫出现、山崩、地震、夏季大雨、冬季大雪、下霜却冻不死野草、从正月不下雨一直干旱到秋天七月、有鹳鹆来筑巢，《春秋》认为这些现象都不正常，从中可以见到动乱的征兆。小事不能让它变大，刚开始出现细微征兆，就不能让它变成明显的，虽然那时还非常细微，但这也是一个方面。孔子以这样去效法它，我因此看重细微征兆又重视事物的开端。因此厌恶那种事先推演出灾异，然后试图在祸乱中取利之人，这种人不是《春秋》所赞赏的。然而《春秋》举这种实例并以之为开端，也是想要人们省悟上天的谴告，而敬畏上天的威严，对内使心中受到感动，对外感悟事物的变化,修养自己的身心,省察自己的道德,表明善心以返回正道,这难道不是重视细微之处、看重事物开端、谨慎对待结局以推出其效验吗?

俞序第十七

[题解]

此篇论孔子作《春秋》的原意。董仲舒认为，孔子删述《春秋》的目的是探求天意及其与政治秩序的关系。孔子不泛泛而谈，而是结合史实，以历史经验和教训来探明天道。《春秋》一书表明，天道随时表现于人道之中。

仲尼之作《春秋》也，上探正天端①王公之位，万民之所欲，下明得失，起贤才，以待后圣。故引史记，理往事，正是非，见王公。史记十二公②之间，皆衰世之事，故门人惑。孔子曰："吾因其行事而加乎王心③焉。"以为见之空言，不如行事博深切明。故子贡、闵子、公肩子言其切而为国家资也。其为切而至于杀君亡国，奔走不得保社稷，其所以然，是皆不明于道，不览于《春秋》也。故卫子夏言，有国家者不可不学《春秋》，不学《春秋》，则无以见前后旁侧之危，则不知国之大柄，君之重任也。故或胁穷失国，挠杀于位，一朝至尔。苟能述《春秋》之法，致行其道，岂徒除祸哉，乃尧舜之德也。故世子④曰："功及子孙，光辉百世，圣人之德，莫美于恕。"故予先言《春秋》详己而略人，因其国而容天下。《春秋》之道，大得之则以王，小得之则以霸。故曾子、子石⑤盛美齐侯安诸侯，尊天子。

霸王之道，皆本于仁。仁，天心，故次⑥以天心。爱人之大者，莫大于思患而豫防之，故蔡得意于吴，鲁得意于齐，而《春秋》皆不告。故次以言怨人不可迩，敌国不可狎，攘窃之国不可使久亲，皆防患为民除患之意也。不爱民之渐乃至于死亡，故言楚灵王、晋厉公生弑于位，不仁之所致也。故善宋襄公不厄人⑦，不由其道而胜，不如由其道而败，《春秋》贵之，将以变习俗而成王化也。故子夏言《春秋》重人，诸讥皆本此。或奢侈使人愤怨，或暴虐贼害人，终皆祸及身。故子池言鲁庄筑台，丹楹刻桷，晋厉之刑刻意者，皆不得以寿终。上⑧奢侈，刑又急，皆不内恕，求备于人，故次以《春秋》缘人情，赦小过，而《传》明之曰："君子辞也。"孔子明得失，见成败，疾时世之不仁，失王道之体，故缘人情，赦小过，《传》又明之曰："君子辞也。"孔子曰："吾因行事，加吾王心焉。"假其位号以正人伦，因其成败以明顺逆，故其所善，则桓文行之而遂，其所恶，则乱国行之终以败。故始言大恶杀君亡国，终言赦小过，是亦始于麤粗，终于精微，教化流行，德泽大洽，天下之人，人有士君子之行而少过矣，亦讥二名⑨之意也。

[注释]

①正：当移至"王公之位"前。天端：指春。②十二公：特指《春秋》中所记从鲁隐公至鲁哀公十二位国君。③加乎王心：从中体现王道思想。④世子：即世硕，孔子的再传弟子，言人性有善有恶，著有《养书》一篇。⑤子石：即公孙龙，字子石，战国时著名的辩士，名家学派的代表人物之一。⑥次：排列。⑦不厄人：不趁人之危。⑧上：同"尚"，崇尚。⑨二名：春秋之世，一般用一个字取名，若用两个字取名，被称作二名，是违反礼制的。

[译文]

孔子制作《春秋》，从根本上是为了探索时令的开始，端正王公的位置和百姓政教的起始，具体就是为了明白得失，举用贤能之人,等待圣人的出现。所以孔子从历史事件中总结经验,辨别是非,摆正王公之序。《春秋》所记十二位君主的事迹,都发生在衰乱之世,所以孔子弟子感到迷惑不解。孔子说:"我是通过对这些君主行事的整理来表达我的王道思想。"他认为从泛泛而论中去发现道理,不如在历史事件中来得更广博和深刻。所以子贡、闵子骞、公肩子,谈到《春秋》时都认为《春秋》所记切要,而且是治国的纲领。它记载真切,认为像国君被杀以及国家灭亡,逃亡在外不能保社稷的根本原因,都是不明于道,不读《春秋》的缘故。所以子夏说:"有国有家的君主、大夫不能不学习《春秋》,否则不能发现身边的危险,不知晓国家的根本和君主的重任。因此像国君被大臣胁迫而失去国家,在君位上被杀的情况,都是很快发生的事情。如果能够遵循《春秋》的行事法则,进一步实现其中的治国之道,那就不仅仅是消除祸患了,而是尧舜的德行。"世子硕说:"功业造福子孙后代,光辉照耀百世,圣人的美德,没有比'恕'道更美好的。"子先说到《春秋》记事对自己国家详细而对别国简略,那是借着自己的国家而阐述治国之道。对《春秋》中的治国之道,体悟得彻底则能实现王道,就是不彻底也能实现霸道。所以曾子、子石盛赞齐桓公能安抚诸侯,尊奉周天子。王道和霸道,都以仁为本。仁是上天之心,因此《春秋》按照仁的标准记事。对人的爱,没有比为人担心忧患并加以提防更大的,所以蔡国从吴国得到实惠,鲁国从齐国得到好处,《春秋》全不记载。按照所说的内容记事,有仇恨之人不可亲,敌对国家不可近,偷窃别人国家的人不能与之长久亲近,这些全是防备患难,为百姓除患的思想。不爱护百姓继续发展就会走向灭亡,所以说楚灵王、晋厉公在位时被杀死,都是不行仁政的结果。《春秋》认为宋襄公若趁人之危,不按正道办事取得胜利,反而不如遵守正道而遭致失败,《春秋》肯定宋襄公的行为,将要用它改变习俗并成就王道的教化。因此子夏说《春秋》重视人，各种批评都由此产生。有的因奢侈遭受愤恨，有的残暴对待百姓，最终都会使灾祸危及自身。因此子池说鲁庄公修筑高台，用红色的大柱和刻饰花纹的椽子，晋厉公刑罚严苛，都不会有好结果。崇尚奢侈，用刑严苛都属于对内全不行恕道，对别人的要求是求全责备，所以《春秋》依据人情，赦免别人的过错，在《公羊传》上明确写着："这是君子之辞。"孔子明白得失成败的原因，担心社会上的不仁爱会导致失去王道的根本，所以在记事时宽容别人小的过错。《公羊传》又明确地写着："这是君子的话。"孔夫子说："我通过《春秋》表达我的王道思想。"假借王者的名位来端正人伦关系，依据事情的成败经验，阐述顺逆的道理，所以《春秋》所称赞的，就是使得齐桓、晋文二公成功的行为；它所否定的，就是导致国家动乱和失败的那些行为。从讥刺臣子杀害国君、毁掉国家的大恶开始，到宽容小的过错结束。这也是从粗疏开始，到精微而结束。教化得到实行，恩德广泛融洽，人人都德行如君子，而很少有过错，这也是《春秋》讥刺当时人用两个字取名的意思。

卷 七

尧舜不擅移、汤武不专杀第二十五

[题解]

　　这一篇是要回答"天命改制"的问题。天命改制有两种方式：一种为禅（shàn），即君主禅位给贤臣；一种为革，即用武力推翻前朝。两种方式都是合天命的，因此也都是合法的。尧、舜采取的是禅的方式，汤、武采取革的方式，尧、舜无私心，汤、武也并非弑君为逆，他们都是顺承天命的。此篇是为汉朝取代秦朝作正当性的辩护。

　　尧舜何缘而得擅移天下哉？《孝经》之语曰："事父孝，故事天明。"事天与父，同礼也。今父有以重①予子，子不敢擅予他人，人心皆然。则王者亦天之子也，天以天下予尧舜，尧舜受命于天而王天下，犹子安敢擅以所重受于天者予他人也。天有不以予尧舜渐夺②之，故明为子道，则尧舜之不私传天下而擅移位也，无所疑也。儒者以汤武为至圣大贤也，以为全道究义尽美者，故列之尧舜，谓之圣王，如③法则之。今足下以汤武为不义，然则足下之所谓义者，何世之王也？曰：弗知。弗知者，以天下王为无义者耶？其有义者而足下不知耶？则答之以神农。应之曰：神农之为天子，与天地俱起乎？将有所伐乎？神农有所伐可，汤武有所伐独不可，何也？且天之生民，非为王也，而天立王以为民也。故其德足以安乐民者，天予之；其恶足以贼害民者，天夺之。《诗》云："殷士肤敏，祼将于京，侯服于周，天命靡常。"言天之无常予，无常夺也。故封泰山之上，禅梁父之下④，易姓而王，德如尧舜者七十二人。王者，天之所予也，其所伐皆天之所夺也。今唯以汤武之伐桀纣为不义，则七十二王亦有伐也。推足下之说，将以七十二王为皆不义也！故夏无道而殷伐之，殷无道而周伐之，周无道而秦伐之，秦无道而汉伐之。有道伐无道，此天理也，所从来久矣，宁能至汤武而然耶？夫非汤武之伐桀纣者，亦将非秦之伐周，汉之伐秦，非徒不知天理，又不明人礼。礼，子为父隐恶。今使伐人者而信不义，当为国讳之，岂宜如诽谤者，此所谓一言而再过者也。君也者，掌令者也，令行而禁止也。今桀纣令天下而不行，禁天下而不止，安在其能臣天下也？果不能臣天下，何谓汤武弑？

[注释]

①重：重要任务，即继承祖宗家业的任务。②渐夺：渐同"斩"。斩夺，完全夺回。③如：如同"而"，并且，表并列。④封：筑台祭天。禅：祭祀大地。泰山、梁父：祭祀天地的山。

[译文]

尧、舜为什么能够擅自将天下交给别人呢？《孝经》中曾记载："侍奉父亲孝顺，就会明白如何侍奉上天。"侍奉上天和父亲，在礼上是一样的。现在父亲把祖宗的家业传给儿子，儿子不敢擅自交给别人，人们都是这样认为的。那么君王是上天的儿子，上天把天下交给尧、舜，尧、舜从上天那里接受天命而做了天下的君王，就像儿子从父亲那里接受重任一样，怎么敢擅自交给别人呢？上天又没有让尧、舜将君位传给儿子的授命。所以明白做儿子的道理，（就明白）尧、舜不擅自传授君位是没什么可疑的。儒者们将汤、武当做至圣大贤和保全道义的完美之人，所以和尧、舜并列，称之为圣王，并且效法他们。现在你认为汤、武是不义的人，不知道你所认为的那有义的人是哪一代的君王呢？你回答说：不知道。那么这种不知道，是认为天下所有的君王都是不义者，还是天下有正义的君王而你不知道呢？你回答说：神农氏是正义的君王。我回应你这种答复说：神农氏做天子，是与天地并生呢，还是经过征伐才做的天子？为什么神农氏征伐和取代别人就可以，汤、武就不可以了呢？况且上天并不是为了满足君王的需要而生养百姓，是为了满足百姓的需要而选择君王。所以当他的德行足以使百姓安居乐业的时候，天就把王位传给他；当他的恶行残害百姓的时候，上天就收回天命。《诗经》上说："殷商之士美好聪敏，在京师举行裸礼，殷商后人臣服于周，天命不是固定不变的。"这句话就是说天不是固定不变地把天命传给谁，也不会固定不变地夺回天命。所以进行过封禅大礼，改姓而称王，德行如尧、舜的人就有七十二人。君王，是上天授予天命的人；那些被君王讨伐的人，是上天剥夺天命的人。如今只说汤、武讨伐桀、纣是不义的，那么七十二王也是讨伐别人而成为国君的，按照你的推论，则七十二王都是不义的了。所以说，夏人无道，殷人就讨伐和取代他；殷人无道，周人就讨伐和取代他；周人无道，秦人就讨伐和取代他；秦人无道，汉人就讨伐和取代他。有道者取代无道者，这是天理，由来已久，难道是到了汤、武的时候才这样吗？那些认为汤、武讨伐桀、纣是错误的人，必然认为秦讨伐周、汉讨伐秦也是错误的，这不仅是不明白天理，就是对人礼也不知道。按照礼的规定，儿子应当为父亲隐瞒过错。（假如按照你的推论）现在认为取代者是不义的，那么就应当为这个国家而隐瞒这件事，哪里能去诽谤呢？在这句话中存在着自相矛盾的错误。君主就是掌管天下政令的人，号令一出，天下就都响应；禁令一下，天下就都停止去做

(被禁止的行为)。但桀、纣号令天下却无人响应,禁令没人听从,怎么能够使天下臣服呢?既然不能使天下臣服,怎么能说汤、武的攻伐是弑君呢?

卷　八

仁义法第二十九

[题解]

　　此篇讲的是"仁"与"义"的定义及其区别。"仁"、"义"经常合称，但二者是有所不同的。"仁"是道德原则发出于外，对别人的。"义"则为此道德原则在我身上的体现。"仁"是爱他人，"义"是匡正自己，使自己符合道德。

　　春秋之所治，人与我也。所以治人与我者，仁与义也。以仁安人，以义正我，故仁之为言人也，义之为言我也，言名以别矣。①仁之于人，义之于我者，不可不察也。众人不察，乃反以仁自裕，而以义设人。②诡③其处而逆其理，鲜不乱矣。是故人莫欲乱，而大抵常乱。凡以闇④于人我之分，而不省仁义之所在也。是故《春秋》为仁义法。仁之法在爱人，不在爱我。义之法在正我，不在正人。我不自正，虽能正人，弗予为义。人不被其爱，虽厚自爱，不予为仁。昔者晋灵公杀膳宰以淑饮食，弹大夫以娱其意，非不厚自爱也，然而不得为淑人者，不爱人也。质⑤于爱民，以下至于鸟兽昆虫莫不爱。不爱，奚足谓仁？仁者，爱人之名也。嵩⑥，《传》无大之之辞。自为追，则善其所恤远也。兵已加焉，乃往救之，则弗美。未至豫备之，则美之，善其救害之先也。夫救蚤而先之，则害无由起，而天下无害矣。然则观物之动而先觉其萌,绝乱塞害于将然而未形之时,《春秋》之志也,其明至矣。非尧舜之智,知礼之本,孰能当此?故救害而先知之,明也。公之所恤远,而《春秋》美之。详其美恤远之意,则天地之间然后快其仁矣。非三王之德,选贤之精,孰能如此?是以知明先,以仁厚远。远而愈贤,近而愈不肖者,爱也。故王者爱及四夷,霸者爱及诸侯,安者爱及封内,危者爱及旁侧,亡者爱及独身。独身者,虽立天子诸侯之位,一夫之人耳,无臣民之用矣。如此者,莫之亡而自亡也。《春秋》不言伐梁⑦者,而言梁亡,盖爱独及其身者也。故曰仁者爱人,不在爱我,此其法也。义云者,非谓正人,谓正我。虽有乱世枉上,莫不欲正人。奚谓义?昔者楚灵王讨陈蔡之贼,齐桓公执袁涛涂⑧之罪,非不能正人也,然而《春秋》弗予,不得为义者,我不正也。阖庐能正楚蔡之难矣,而《春秋》夺之义辞,以其身不正也。潞⑨子之于诸侯,无所能正,《春秋》予之有义,其身正也,趋而利也。故曰义在正我,不在正人,此其法也。夫我无之而求诸人,我有之而诽⑩诸人,人之所不能受也。其理逆矣,何可谓义?义者,谓宜在我者。宜在我者,而后可以称义。故言义者,合我与宜,以为一言。以此操之,义之为言我也。故曰有为而得义者,谓之自得;有为而失义者,谓之自失。人好义者,谓之自好;人不好义者,谓之不自好。以此参之,义,我也,明矣。是义与仁殊。仁谓往,义谓来。⑪仁大远,义大近。爱在人谓之仁,义在我谓之义。仁主人,义主我也。故曰仁者人也,义者我也,此之谓也。君子求仁义之别,以纪⑫人我之间,然后辨乎内外之分,而著于顺逆之处也。是故内治反理以正身,据礼以劝福。外治推恩以广施,宽制以容众。孔子谓冉子曰:"治民者先富之,而后加教。"语樊迟曰:"治身者,先难后获。"以此之谓治身之与治民,所先后者不同焉矣。《诗》曰:"饮之食之,教之诲之。"先饮食而后教诲,谓治人也。又曰:"坎坎伐辐,彼君子兮,不素餐兮。"先其事,后其食,谓治身也。《春秋》刺上之过,而矜下之苦,小恶在外弗举,在我书而诽之。凡此六者,以仁治人。义治我,躬自厚而薄责于外,此之谓也。且《论》已见之,而人不察,曰君子攻其恶,不攻人之恶。不攻人之恶,非仁之宽与?自攻其恶,非义之全与?此之谓仁造人,义造我,何以异乎?故自称其恶谓之情,称人之恶谓之贼;求诸己谓之厚,求诸人谓之薄;自责以备谓之明,责人以备谓之惑。是故以自治之节治人,是居上不宽也;以治人之度自治,是为礼不敬也。为礼不敬,则伤行而民弗尊;居上不宽,则伤厚而民弗亲。弗亲则弗信,弗尊则弗敬。二端之政诡于上,而僻行之则诽于下,仁义之处可无论乎?夫目不视弗见,心弗论不得。虽有天下之至味,弗嚼弗知其旨也;虽有圣人之至道,弗论不知其义也。

[注释]

①"人"与"仁"、"义"与"我"互训。言名以别:名称在文字上已有了分别。②自裕:自己宽待自己。设人:要求别人。③诡:违背。④阍:不清,不明白。⑤质:发自内心,真诚。⑥巂(xī):春秋时齐国地名,今山东东阿县附近。此处指《公羊传》记载鲁僖公追逐齐国军队到巂地一事。《公羊传》对此并不称赞,认为僖公不能提前预防敌人。⑦梁:春秋时小国,嬴姓。鲁僖公十九年被秦所灭。⑧袁涛涂:春秋时陈大夫,曾纵容郑国攻打齐国,所以齐国拘捕他。⑨潞:春秋时小国,为晋所灭。⑩诽:同"非",非难。⑪往:对别人实施。来:对自己要求。⑫纪:控制。

[译文]

《春秋》所关注的,是人和我。而用来治理人和我的根本,则是仁与义。用仁对待别人,用义来规范自我,因此仁就是人的意思,义就是我的意思,在语言上已经作了区别。仁对于人,义对于我的关系,不可不明察、区分。一般人不明察,竟反过来用仁宽容自己,用义苛刻对待别人。不明白自己的处境且违逆事理,很少有不混乱的。尽管没有人希望出现混乱,可是实际上人们又经常陷于混乱。这多半是对人和我的区别不清楚,导致不明白仁义的根本。所以《春秋》制定了仁义的原则。仁的原则是爱人,不是宽容自己;义的原则是矫正自己,不在矫正别人。自己不矫正自己,即使能矫正别人,也不能称为义。别人没有接受到你的爱,即使爱自己再多,也不能算做仁。从前晋灵公为得到美食而杀害厨师,为使自己愉快而用弹弓弹射大夫,不能不说是特别爱自己,可是却不能算做美善之人,是因为他不爱别人。真心地爱别人,进而扩充到对鸟兽昆虫也没有不爱的。没有爱心,怎么可以说是仁呢?仁,就是爱别人的名称。关于鲁僖公追赶齐国军队到巂地的记载,《公羊传》上并没有称赞之辞。而此前的鲁庄公亲自主动追赶戎狄到济西,《春秋》就称赞庄公思虑深远。敌人军队已经开始侵犯了,鲁僖公才前往救援,《春秋》就不赞赏他。而鲁庄公在战争尚未到来就预先防备,这是很好的,《春秋》称赞他能在灾害发生之前就去救援。制止祸害在它发生之前,那么祸害就无从发生,天下就没有祸害了。由此可知,观察事物的变化,提前察觉出萌芽,断绝动乱、堵塞祸害在没有形成之时,是《春秋》本意,这是非常明确的了。没有尧舜的智慧,不知道礼的根本的人,怎么能知道这一道理呢?所以要制止祸害发生应当预先做准备,这才是明智的。鲁庄公考虑得长远,《春秋》才赞美他。详细地研究《春秋》赞扬鲁庄公思虑深远的原因,人们对仁的认识就又深入一层了。没有三王的德行,选拔贤才中的精英,谁能做到这些?这就是以智慧明白先机,以仁爱亲近远人。仁爱施与得越远就越贤能,仁爱施与得越近就越不肖。所以实行王道的君主,他的爱能达到四夷;实行霸道的君主,他的爱只能达到诸侯;安于现状的君主,他的爱能达到国境之内;

危害国家的君主,他的爱仅能达到左右身边的人;亡国的君主,他的爱只能达到自身。爱如果只能达到自身,即使在天子诸侯的位置,也只是一个人罢了,没有臣民可使用。像这样的人,没有人消灭他,他自己也会灭亡。《春秋》没有记载攻打梁国,却记载梁国灭亡,大概是因为梁国国君的爱只达到他自身而止。所以说仁者爱人,不在于爱自己,这就是仁爱的原则。义,不是说矫正别人,是说矫正自己。即使扰乱社会欺枉君上的人,也没有不想矫正别人的,怎么能说是义?从前楚灵王讨伐陈、蔡两国的贼寇,齐桓公拘捕袁涛涂的罪过,不是不能矫正别人,然而《春秋》不赞许,不称他们的行为是义,是因为他们自身不正。阖庐能矫正楚国、蔡国的危难,可是《春秋》却不给予他义的名声,因为他自身就不端正,只是追求利益而已。潞子在诸侯当中,没有矫正别人,但《春秋》授予他有义的称号,因为他自身端正。所以说义在于矫正自己,不在于矫正别人,这就是原则。我没有的就向别人要求,我有的就向别人提出非难,这是别人所不能接受的。这因为它的道理违逆了义,怎么可以说是义呢?义,是说适宜自己所做。适宜自己所做,然后才可以说得上是义。所以说义,是将自我与适宜做的事合为一个词。用这个原则操持事物,义作为一个词就等于我。所以说有的人做事情就可得到义,这叫做自动获得;有的人做事就失去义,这叫做自动失去。人有的喜好义,这叫做自我喜好;人有的不喜好义,这叫做自己不喜好。用这个标准验证,义,就是我,这是很明确的。这种义和仁不同。仁是对待别人,义是要求自己;仁是大而又远,义是大而又近。爱心在别人身上叫做仁,自己行为适宜就叫做义。仁以别人为主,义是以我为主。所以说仁就是别人,义就是自己,说的是这个道理。君子寻求仁义的差别,以便认识别人与自我之间的关系,然后辨别内外的分别,而在顺境与逆境中表现出来。因此对内做事要返归义理以便匡正自身,用礼来实现身正。对外做事要推广恩德并扩展广大,用宽容的原则处事而容纳众人。孔子对冉有说:"统治百姓要先使百姓富有,然后再施以教化。"对樊迟说:"提高自己,要先经历困难然后才有所获。"用这样的话说明管理自己和管理百姓所要做的事的先后不同。《诗经》说:"让他们吃饱喝足,然后再教诲他们。"先吃饱肚子然后教化,这就是统治人的原则。又说:"伐木造车辐哟,那个君子啊,不是白吃饭的。"先做事,然后再进食,这就是要求自己的原则。《春秋》讥刺在上位者的过错,而可怜在下者的苦难,别人小的丑恶不书写,而对自己的过错却一定指责。所有这些,都是用仁对待他人,用义治理自我,对自己要求严格而对外人要求宽容,说的就是这个道理。况且《论语》已经表达过这种观点,可是人们却没有察觉。说君子攻击自己的过错,不攻击别人的过错。不攻击别人的过错,不是讲求仁的宽容吗?攻击自己的过错,不是义的全面吗?这就叫做仁成就人,义成就我,有什么不同呢?所以指责自己的过错叫诚实,检举别人的过错叫做贼;对自己要求严格叫做厚,对别人要求严格叫做薄;对自己求全责备叫做明,对别人求全责备叫做惑。因此用对待自己的方法对待别人,这是居上位而不宽大;用对待别人的原则对待自己,这是对礼不尊敬。对礼不尊敬就会阻碍行动,导致百姓的轻视;居上位又不宽大就会伤害厚道,导致百姓的疏远。疏远就不会有诚信,轻视就不会恭敬。这两种政令在上面实施,邪恶的行为就会在下面流行,对待仁义可以不重视和探究吗?眼睛不去看就什么也见不到,心不思考就不会有收获。即使有天下最美味的饭菜,不咀嚼也就不会知道它的味道;即使有圣人的最完善的理论,不论说也不会知道它的意思。

必仁且智第三十

[题解]

"仁"与"智"是人的两种必不可少的品质。"仁"可以使人平和,"智"可以使人克服困难。有仁无智,就不知道分别是非;有智无仁,也不会做对社会有益的事。因此,君子要将仁与智结合在一起。本篇最后一段专讲灾异,与主旨不符,似为其他篇中羼入。

莫近于仁,莫急于智。不仁而有勇力财①能,则狂而操利兵也;不智而辩慧狷②给,则迷而乘良马也。故不仁不智而有材能,将以其材能以辅其邪狂之心,而赞其僻违之行,适足以大其非而甚其恶耳。其强足以覆过,其御足以犯诈,其慧足以惑愚,其辨足以饰非,其坚足以断辟③,其严足以拒谏。此非无材能也,其施之不当而处之不义也。有否心④者,不可藉便势,其质愚者不与利器。《论》之所谓不知人也者,恐不知别此等也。仁而不智,则爱而不别也;智而不仁,则知而不为也。故仁者所以爱人类也,智者所以除其害也。

何谓仁?仁者憯怛⑤爱人,谨翕⑥不争,好恶敦伦,无伤恶之心,无隐忌之志,无嫉妒之气,无感愁之欲,无险诐之事,无辟⑦违之行。故其心舒,其志平,其气和,其欲节,其事易,其行道，故能平易和理而无争也。如此者谓之仁。

何谓之智？先言而后当。凡人欲舍行为，皆以其智先规而后为之。其规是者，其所为得，其所事当，其行遂，其名荣，其身故利而无患，福及子孙，德加万民，汤武是也。其规非者，其所为不得，其所事不当，其行不遂，其名辱，害及其身，绝世无复，残类灭宗亡国⑧是也。故曰莫急于智。智者见祸福远，其知利害蚤，物动而知其化，事兴而知其归，见始而知其终，言之而无敢哗，立之而不可废，取之而不可舍，前后不相悖，终始有类，思之而有复，及之而不可厌。其言寡而足，约而喻，简而达，省而具，少而不可益，多而不可损。其动中伦⑨，其言当务。如是者谓之智。

其大略之类：天地之物有不常之变者，谓之异，小者谓之灾。灾常先至而异乃随之。灾者，天之谴也；异者，天之威也。谴之而不知，乃畏之以威。《诗》云："畏天之威。"殆此谓也。凡灾异之本，尽生于国家之失。国家之失乃始萌芽，而天出灾害以谴告之；谴告之而不知变，乃见怪异以惊骇之，惊骇之尚不知畏恐，其殃咎乃至。以此见天意之仁而不欲陷人也。谨案灾异以见天意。天意有欲也，有不欲也。所欲所不欲者，人内以自省，宜有惩于心；外以观其事，宜有验于国。故见天意者之于灾异也，畏之而不恶也，以为天欲振⑩吾过，救吾失，故以此报我也。《春秋》之法，上变古易常，应是而有天灾者，谓幸国。孔子曰："天之所幸，有为不善而屡极。"楚庄王以天不见灾，地不见孽，则祷之于山川曰："天其将亡予邪？不说吾过，极吾罪也。"以此观之，天灾之应过而至也，异之显明可畏也。此乃天之所欲救也，《春秋》之所独幸也，庄王所以祷而请也。圣主贤君尚乐受忠臣之谏，而况受天谴也？

[注释]

①财:同"材",材质,才能。②狷(juàn):性情急躁。③断辟:破坏法纪。辟,法纪。④否心:野心,不正当的志向。⑤憯(cǎn)怛(dá):忧伤哀痛。这里指诚恳。⑥谨翕:恭谨和顺。⑦辟:偏颇,不正当。⑧此处阙"桀纣"二字。⑨伦:即礼。⑩振:挽救,制止。

[译文]

（对于人来说）没有比仁更重要,没有比智更迫切的了。缺乏仁义却有勇气、力量、才能,就像发狂的人又拿到锋利的兵器一样;不智却能诡辩,就如同已经迷失方向的人还要骑快马一样。所以不仁不智而有才能,就将用自己的才能来辅助他那邪狂的心思,而帮助他不正当的行为,这些足够扩大他的错误而又加重他的罪恶。他的强势足以掩盖过错,他的防范足以造成欺诈,他的智慧足以迷惑愚人,他的辩才足以粉饰过失,他的任性足可以破坏法纪,他的刚愎足以拒绝进谏。这些人不是没有才能,是他目的及动机都不符合仁义的标准。有邪恶之心的,不可以再给他便利的形势;本质愚笨的,不可以给他锋利的用具。《论语》所说的不了解别人,恐怕就指不了解这些的区别。仁爱而不智,就会只知爱却不能区别是非;智慧但不仁爱,就会心知善恶却不愿去做。所以仁者是爱护人类的,智者是除害的。

什么叫做仁?仁者要诚恳爱人,恭谨和顺、与人无争,个人的喜好、厌恶都有序不乱,没有伤害别人之心,没有需要隐瞒和忌讳的阴谋,没有嫉妒的戾气,没有感愁的怨念,没有危险诡异的事情,没有违法的行为。所以他的心情舒展,精神平和,性情温顺,他的欲望受到节制,他的事情容易办成,他的行为就能平和简易、和谐有序而没有争斗,像这样的人就叫做仁。

什么叫做智?就是先把话说出来,而后能够证明是正确的。一个人行动与否,总是依据他的智慧先规划然后才去做。如果他的规划是对的,他的作为就有好结果,他所从事的就恰当,他的所为能够顺利进行,他的名声就显荣,他自己就有利而没有祸害,福泽延续到子孙,德业影响到百姓,商汤、周武就是这类人。如果他的规划是不对的,他的作为就没有好结果,他所从事的就不恰当,他的行为就不会有结果,他的名声就受到羞辱,祸害就要危及自身,断绝了子嗣没有后人,残害同类、宗族,灭绝国家,夏桀、商纣就是这类人。所以说不要急于用智。智者能够发现更长远的祸福,他能预先知晓利害,事物一开始运动就知道它如何变化,事情一发生就知道它的所归,由开始就知晓它的结局。谈说起来并不炫耀,确立后就不可废除,从中受益且不能舍弃,前后不相违背,从结束到开始都有条理,思考起来还有余地,达到却又不生厌恶。他的话言简意赅,简单却通达其意。节省却充足,少的时候不可再增多一句,多的时候不可再减少一言。他的一举一动符合礼的原则,他的言论切中要害。像这样的,就是智。

大概的类别是:天地间万物的不常之变称做怪异,这其中小的异常叫做灾害。灾害常常先出现而怪异紧随着出现。灾害,是上天对人的责备;怪异,是上天的威严。责备他还不知改悔,就用威严使他畏惧。《诗经》上说:"畏惧上天的威严。"大概说的是这一意思。所有灾害变异的本源,全都是因为国家的失误。国家的失误刚开始出现,上天就会用灾害来谴告他,谴告之后仍不知改变,就以异象使之害怕,若还不知因害怕而改变,大的祸患就会出现。由此可见上天的本意是仁爱而不是降灾于人。谨慎地观察灾害变异就可以了解上天的心意。上天的心意有希望人们做的,有不希望人们做的。不管是哪一种,都要从内心反省自己,应该对自己的思想有所警惕;对外要观察事务,应该对国家之事有所察验。所以对待由灾害变异表现出的上天的意图,态度应当是畏惧它却不厌恶它,认为上天的本意是想要制止我们的过错,所以用这些现象向我们警示。

《春秋》的记事方法，是当执政者改变古已有之的制度，更改寻常之事，应验这种情况而出现天灾的，就叫做国家的侥幸。孔子说："上天对于人的宠幸，是当人做坏事的时候多次以灾害警告他。"楚庄王见到上天不出现灾害，大地不出现灾祸，就向山川祈祷说："上天难道忘记我了吗？不谴告我的过错，这是要使我的罪大到极点啊。"由此看来，上天的灾害是为回应人的过错而出现的，而显明怪异情况的出现也是可畏惧的。这本是上天要挽救人们，是《春秋》所认为的宠幸，因此楚庄王祈祷上天请求出现灾异。圣贤之主尚且愿意接受忠臣的进谏，何况对上天的谴告呢？

卷 九

身之养重于义第三十一

[题解]

此篇讲义与利的关系。"义利之辨"是儒家的老问题了,早在春秋时期,孟子就探讨过这一问题。董仲舒认为,义对人的重要性远远大于利,徒有利而不知义的人不能自存于世。圣人有义务宣扬义,用"义"来教化百姓。

天之生人也,使人生义与利。利以养其体,义以养其心。心不得义不能乐,体不得利不能安。义者心之养也,利者体之养也。体莫贵于心,故养莫重于义,义之养生人大于利。奚以知之?今人大有义而甚无利,虽贫与贱,尚荣其行,以自好而乐生,原宪、曾、闵①之属是也。人甚有利而大无义,虽甚富,则羞辱大恶。恶深,祸患重,非立死其罪者,即旋伤殃忧尔,莫能以乐生而终其身,刑戮夭折之民是也。夫人有义者,虽贫能自乐也。而大无义者,虽富莫能自存。吾以此实②义之养生人,大于利而厚于财也。民不能知而常反之,皆忘义而殉利,去理而走邪,以贼其身而祸其家。此非其自为计不忠也,则其知之所不能明也。今握枣与错金③以示婴儿,婴儿必取枣而不取金也。握一斤金与千万之珠,以示野人④,野人必取金而不取珠也。故物之于人,小者易知也,其于大者难见也。今利之于人小而义之于人大者，无怪民之皆趋利而不趋义也，固其所闇也。圣人事明义，以照耀其所闇，故民不陷。《诗》云："示我显德行。"此之谓也。先王显德以示民，民乐而歌之以为诗，说⑤而化之以为俗。故不令而自行，不禁而自止，从上之意，不待使之，若自然矣。故曰：圣人天地动、四时化者，非有他也，其见义大故能动，动故能化，化故能大行，化大行故法不犯，法不犯故刑不用，刑不用则尧舜之功德。此大治之道也，先圣传授而复也。故孔子曰："谁能出不由户，何莫由斯道也。"今不示显德行，民闇于义不能炤⑥；迷于道不能解，因欲大严惛以必正之，直残贼天民而薄主德耳，其势不行。仲尼曰："国有道，虽加刑，无刑也。国无道，虽杀之，不可胜也。"其所谓有道无道者，示之以显德行与不示尔。

[注释]

①原宪、曾、闵：原宪、曾参、闵子骞，皆孔子弟子，以德行著称。②实：验证，检验。③错金：即钱币。④野人：庶人，平民。⑤说：通"悦"，高兴。⑥炤（zhāo）：通"昭"，昭示，显示。

[译文]

上天生养了人，同时也产生了义和财利。财利用来滋养人的身体，义用来修养人的内心。内心得不到义的修养就不会快乐，身体得不到财利的滋养就不会安稳。义是内心的修养，财利是身体的修养。身体不比内心更贵重，所以利就不比义更重要。义对人的生命来说，比利更重大。从哪里知道这些呢？现在有一种人特别有义却没什么利，他们虽然贫贱，仍然认为自己的行为光荣，因好义而感到快乐，原宪、曾子、闵子骞等人就是这一类人。有一种人非常有财利却没什么义，他们即使非常富有，也会遭受羞辱酿成大恶。他们罪恶深重，祸患重大，即使不会因自己的罪过而立即死去，也会因经常受到伤害而忧虑，不能愉快地生活一生，那些受到刑罚或被杀戮或夭折的人便是这类人。有义的人，即使贫困却能自己找到快乐。没有义的，即使富有也不能独自生存于世。我由此验证出义对人的生活来说，比利还要重大，比财物还要厚重。百姓不能知晓这个道理而常常违背它，都忘记了义而去为财利殉命，抛弃正道走向邪路，结果残害自身并殃及自己的全家。这种情况如果不是他自己考虑没有尽心，就是他的智慧欠缺而不明白。比如有人拿一把枣和钱币让小孩选择，小孩一定选择枣而不选择钱币。拿一斤黄金和价值千万的宝珠让庶民选择，庶民一定选择黄金而不选择宝珠。所以人们对事物的认识，小的容易了解，而那些大的则难以看清。如今虽然义比利对人更重要，但不要责怪百姓都奔向利而不奔向义，因为他们被不熟悉的事物所蒙蔽。圣人从事彰显明义的工作，以便使百姓明白他们所不熟悉的义，所以百姓就不会陷于犯罪。《诗经》说："昭示我显露德行。"说的就是这个道理。先王显露德行且昭示给百姓，百姓高兴地歌颂他们并写成诗，快乐地接受教化成为风俗。所以不必下令做善事人们就会自动去做善事，不必禁止做坏事人们就自动不做坏事，听从在上者的想法，不必等待使令，如同自然而然一样。所以说：圣人能使天地运动、四季变化，不是有别的原因，他见到义的伟大所以能追随天地运动，运动所以能变化，因为能变化所以能普遍地实现，因为普遍地实现，所以不触犯法律，不触犯法律所以可以不动用刑罚，不用刑罚就有尧舜一样的功德。这是天下大治的规律，先圣传授下来可以重复实现的。所以孔子说："谁能外出而不经由门户，为什么不沿用这样的大道呢？"现今不显示德行，百姓对义不了解而统治者不能昭示；对治国之道不理解而采用严苛、惨痛的方法匡正百姓，结果只能导致残害天下百姓，而使人主的德行微薄罢了，这种行为是不可取的。孔夫子说："国家有道的话，即使想使用刑罚，也没有用刑的对象。国家无道的话，即使将人杀死，也杀不尽。"这里所说的有道、无道，就是将显明的德行昭示天下或者不昭示的区别而已。

对胶西王越大夫不得为仁第三十二

[题解]

这一篇是董仲舒在做胶西王相的时候,对胶西王提问所做的回答。篇中显示了董仲舒的正统儒家观点。他认为,春秋时期的霸主所行并非儒家的"王道",而是出于私心与贪欲的"霸道"。董仲舒还提出了"正其道不谋其利"的观点,主张相对行为的结果而言,要更加重视行为的动机。

命令相[1]曰:"大夫蠡、大夫种、大夫庸、大夫睪、大夫车成,[2]越王与此五大夫谋伐吴,遂灭之,雪会稽之耻,卒为霸主。范蠡去之,种死之。寡人以此二大夫者为皆贤。孔子曰:'殷有三仁[3]。'今以越王之贤,与蠡种之能,此三人者,寡人亦以为越有三仁。其于君何如?桓公决疑于管仲,寡人决疑于君。"仲舒伏地再拜,对曰:"仲舒智褊而学浅,不足以决之。虽然,王有问于臣,臣不敢不悉以对,礼也。臣仲舒闻,昔者鲁君问于柳下惠曰:'我欲攻齐,何如?'柳下惠对曰:'不可。'退而有忧色,曰:'吾闻之也:谋伐国者,不问于仁人也。此何为至于我?'但见问而尚羞之,而况乃与为诈以伐吴乎?其不宜明矣。以此观之,越本无一仁,而安得三仁?仁人者正其道不谋其利,修其理不急其功,致无为而习俗大化,可谓仁圣矣,三王是也。

《春秋》之义,贵信而贱诈。诈人而胜之,虽有功,君子弗为也。是以仲尼之门,五尺之童子,言羞称五伯。为其诈以成功,苟为而已也,故不足称于大君子之门④。五伯者,比于他诸侯为贤者,比于仁贤,何贤之有?譬犹碔玞⑤比于美玉也。臣仲舒伏地再拜以闻。"

[注释]

①命令相:当作"令问相"。"相"即指董仲舒,董仲舒曾为胶西王相。②大夫蠡、大夫种、大夫庸、大夫皋、大夫车成:分别指范蠡、文种、后庸、皋如、车成。这五人均为越王勾践的大夫或谋士。③殷有三仁:指殷朝有比干、微子和箕子三位仁人。④大君子之门:指孔子之门。⑤碔玞(wǔ fū):似玉的石头。

[译文]

胶西王问董仲舒说:"越国有大夫范蠡、文种、后庸、皋如、车成等人,帮助越王勾践谋计攻打吴国,最终灭掉了吴国,以雪在会稽山战败的耻辱,终成其霸主地位。范蠡离开越王,文种为越王而死。我认为这两位大夫都是贤者。孔子说:'殷有三仁。'现在以越王勾践的贤才,加上范蠡、文种的能力,以此三人,我认为越国也有三仁,他们和你比较又如何呢?齐桓公提出疑问,由管仲解答,我提出疑问,由你解答。"董仲舒伏在地上拜了两拜,回答道:"我才疏学浅,不足以为国君解答疑问。但是,国君问到我,我不能不回答,这是礼的要求。我听说:过去,鲁国国君问他的大夫柳下惠说:'我想攻打齐国,怎么样?'柳下惠说:'不行。'下朝回家后他很伤心,说:'我听说打算进攻别国的国君,不会将这个问题向仁人请教,这次怎么会问到我呢?'可见仁人仅仅被问到这个问题尚且感到羞耻,怎么会和国君一起计划如何攻打吴国呢?所以这些人不应该得到称赞。从这点上看,越国本来没有一个仁人,怎么会有三个仁人呢?所谓仁人,要行正道,而不去考虑有什么利益,按照道理做事而不急于得到功绩,达到无为而治而使民众得到教化,这才可称为仁圣,古代的三王(夏禹、商汤、周文王)就是如此;《春秋》的大义,是以诚信为贵而以欺诈为贱,靠着欺骗别人而取得胜利,虽然也会成功,君子不会去做。所以在孔子门下,五尺高的小孩也以谈论春秋五霸为耻辱,因为他们是靠着欺诈而获得成功的,是做了不正当的事,所以不足以在孔子的门下称说。五霸比起其他诸侯而为贤,但如果和真正的贤人相比,他们又有什么贤可言呢?这就好比拿似玉的珷玞和美玉相比一样。臣董仲舒叩首再拜奏明圣上。"

观德第三十三

[题解]

观德，即观察德性。此篇首论天地之德，继而论及人伦，将三纲（君臣、父子、夫妇）之道解释为来自天地，从而把封建的纲常当做世上永恒之物。作者以史为证，列举春秋时期各国君主的事迹，在恪守礼仪道德上面分出高下的次序。

天地者，万物之本，先祖之所出也。广大无极，其德昭明，历年众多，永永无疆。天出至明，众知类也，其伏无不炤也。地出至晦，星日为明，不敢闇。君臣、父子、夫妇之道取之此。大礼之终也，臣子三年不敢当。虽当之，必称先君，必称先人，不敢贪至尊也。百礼之贵，皆编于月。月编于时，时编于君，君编于天。天之所弃，天下弗祐，桀纣是也。天子之所诛绝，臣子弗得立，蔡世子、逢丑父是也。王父父所绝①，子孙不得属，鲁庄公之不得念母，卫辄之辞父命是也。故受命而海内顺之，犹众星之共北辰，流水之宗沧海也。况生天地之间，法太祖先人之容貌，则其至德取象，众名尊贵，是以圣人为贵也。泰伯至德之侔天地也。上帝为之废适②易姓而子之。让其至德，海内怀归之。泰伯三让而不敢就位。伯邑考知群心贰，自引而激，顺神明也。

至德以受命,豪英高明之人辐辏归之。高者列为公侯,下至卿大夫,济济乎哉,皆以德序。是故吴鲁同姓也,钟离之会不得序而称君,殊鲁而会之,为其夷狄之行也。鸡父之战,吴不得与中国为礼。至于伯莒、黄池之行,变而反道,乃爵而不殊。召陵之会,鲁君在是而不得为主,避齐桓也。鲁桓即位十三年,齐、宋、卫、燕举师而东,纪、郑与鲁戮力③而报之。后其日,以鲁不得偏,避纪侯与郑厉公也。《春秋》常辞,夷狄不得与中国为礼。至邲之战,夷狄反道,中国不得与夷狄为礼,避楚庄也。邢、卫、鲁之同姓也,狄人灭之,《春秋》为讳,避齐桓也。当其如此也,惟德是亲,其皆先其亲。是故周之子孙,其亲等也,而文王最先。四时等也,而春最先。十二月等也,而正月最先。德等也,则先亲亲。鲁十二公等也,而定、哀最尊。卫俱诸夏也,善稻之会,独先内之,为其与我同姓也。吴俱夷狄也,柤之会,独先外之,为其与我同姓也。灭国十五有余,独先诸夏,鲁晋俱诸夏也,讥二名,独先及之。盛伯郜子俱当绝,而独不名,为其与我同姓兄弟也。外出者众,以母弟出,独大恶之,为其亡母背骨肉也。灭人者莫绝,卫侯毁灭同姓独绝,贱其本祖而忘先也。亲等从近者始,立适以长,母以子贵先。甲戌、己丑,陈侯鲍卒,书所见也,而不言其闰者。陨石于宋五,六鹢退飞,耳闻而记,目见而书,或徐或察,皆以其先接于我者序之。其于会朝聘之礼亦犹是。诸侯与盟者众矣,而仪父独渐进。郑僖公方来会我而道杀,《春秋》致其意,谓之如会。潞子离狄而归,党以得亡④,《春秋》谓之子,以领其意。包来、首戴、洮、践土与操之会,陈、郑去我,谓之逃归;郑处而不来,谓之乞盟;陈侯后至,谓之如会;莒人疑我,贬而称人。诸侯朝鲁者众矣,而滕薛独称侯。州公化我,夺爵而无号。吴、楚国先聘我者见贤,曲棘与鞍之战,先忧我者见尊。

[注释]

①王父父所绝:第二个"父"字衍,当作"王父所绝"。②适:同"嫡"。③戮力:一起用力。④党以得亡:当作"无党以得亡"。

[译文]

所谓天和地,是万物的根本,是产生祖宗先人的地方。它的德性广大而没有边际,彰明于天下,历经很多年,永远没有极限。天产生极致的光明,人们可以借此辨明析类,所以天下没有不明彰的。地产生极致的晦暗,星辰和太阳明亮,而不敢阴暗。君臣、父子、夫妇的道理就取法于此。国君去世以后,臣子三年不敢当政。即使要当政,也必须凡事言必称先王、先人,不敢贪图至尊的地位。各种礼节最尊贵的部分,都由各月的时令所安排,各月当中最为重要的礼节又由各时的时令所安排,各时的重要礼节是由国君所安排,而国君的礼节由上天安排,天所摒弃的,天下的臣民都不辅佑他,桀纣就是这样的国君;天子所要诛杀灭绝的臣子,就不能立身,蔡国世子、逢丑父就是这样的人;祖父所要灭绝的人,子孙就不能继承他的君位,鲁国的庄公不能怀念他的母亲、卫世子辄辞却其父亲的命令就是这样的例子。所以受天命则四海归顺,就好像是群星以北斗星为中心,河流最终汇入大海一样,何况人生在天地之间,取法于祖先的容仪,并效法祖先的大德,以及各种尊贵之事。泰伯以其大德相比于天地,上天顺从泰伯的心意而废除嫡子继承的礼制、改变他的姓氏,泰伯以其大德使得四海之内众心归附,而他却多次辞让不敢接受。伯邑考知道群臣与自己不亲近,就主动放弃了王位的继承,这是顺应神明的表现。以其大德而受命于天,则英雄豪杰和智慧高明的人就会归附他,道德高尚的人可以担当公和侯,并依照道德水平的高低依次担任卿和大夫。众多的臣子啊,都是以道德的水平来排定次序的。所以虽然吴国与鲁国是同姓之国,在钟离会盟的时候,吴国的国君在会上不被称为君,因为他有夷狄一样的行为;鸡父大战时,吴国也不能和其他中原诸国一样受到礼遇;到了伯莒黄池之战,吴国改变了自己先前的劣迹,归于正道,于是《春秋》对吴国国君的称呼就与中原各国没有什么不同了;在召陵会盟的时候,鲁君虽然出场但不能作为会盟的主角,是为了避讳齐桓公;鲁桓公即位十三年,齐、宋、卫、燕四国合军东征,纪国、郑国和鲁国全力回击四国的进攻,后来,以鲁国不能全盘应付,回避了纪侯和郑厉公。按照《春秋》的说法,夷狄不能和中原同礼,到了邲地之战,夷狄获胜,中原又不和夷狄同礼,是避讳楚庄王;邢国、卫国是鲁同姓,夷狄将两国灭掉,《春秋》就隐讳了这件事,这是避讳齐桓公不能相救。之所以这样,是以道德为标准,都是把和自己亲近的人放在首要的地位。所以作为周王的后代,他们的亲近是一样,而以文王为最首要的;春夏秋冬四季相等,但是以春季为最首要的;一年中的十二个月相等,但要以正月为最首要的;道德水平相等,但以亲近的人为最首要的;鲁国有十二位国君,但以定公和哀公为最尊贵的。卫国和他的邻国都是中原的国家,而在吴国善稻会盟的时候,却能首先受到邀请,是因为他是和我鲁国同姓;吴国和他的邻国都是夷狄之国,在柤地的会盟,鲁国和吴国单独会盟,是因为吴国和鲁国为同姓;被灭掉的国家有十五个还多,却只记载中原的国家;鲁国、晋国和他们的邻国都是中原国家,是首先提到的两个国家;盛伯和郜子都灭绝,而不予以记载,是因为他们是我鲁国的同姓兄弟;向外出逃的人很多,《春秋》却格外厌恶同母的弟弟出逃,认为这是不念母亲背离兄弟骨肉的行为;卫国灭绝别国不被记载成"绝灭他国",而消灭同姓国则称为"绝灭他国",这是《春秋》批评卫国忘记祖先。远近亲疏,是以血缘近的为开始;确立嫡子以年长为标准,母亲以子而贵则为先。《春秋》记载甲戌年己丑陈侯鲍死,却不说他死的原因;宋国落下五块陨石，六只水鸟倒着飞，记载时耳朵听到的，眼睛看到的，都把它记下来，其中有的是记录者慢慢看到的，有的是详细体察得来的，都按照和我接近的程度依次记载下来，至于会盟和朝聘的大礼也是这样。各国诸侯来和鲁国会盟的很多，只有仪父来得很晚。郑僖公在来和鲁国会盟的路上被杀，《春秋》知道他们的用心并表示尊敬，记载他们是到会的；潞子脱离夷狄而归附中原，因为无人相助而被灭亡，《春秋》称之为子，是承领他归附中原的意愿的；包来、首戴、洮、践土与操等多次会盟，陈侯和郑伯离开鲁国，《春秋》称为逃回他们自己的国家；郑国的国君在国内向鲁国要求会盟却又没有来参加，《春秋》记载为他乞求会盟；会盟的时候，陈侯来得很晚，《春秋》记载为参加会盟；莒国的国君怀疑鲁国，《春秋》贬称之为"人"；各国诸侯来朝见鲁国国君的人很多，而单单称滕国和薛国为侯。州公不尊敬鲁国，《春秋》就夺去他的爵位和封号；吴国、楚国先聘问于鲁国，足见其贤，宋元公死于曲棘之战，曹国公子参加了鞍地的会战，他们是首先为鲁国忧虑的，因此也受到了《春秋》的尊重。

奉本第三十四

[题解]

奉本就是务本、重视根本的意思。万物都有其根本，人事也如此。天地是人事的根本，因此圣人要以天地为本。《春秋》的作者偏重记录那些关乎国家政局、显示天人感应的大灾异，而对于一般的小灾异就很少记载了。这就是奉本之义。

礼者，继天地、体阴阳，而慎主客、序尊卑、贵贱、大小之位，而差外内、远近、新故之级者也，以德多为象。万物以广博众多，历年久者为象。其在天而象天者，莫大日月，继天地之光明，莫不照也。星莫大于大辰①，北斗常星。部星三百，卫星三千。大火二十六星②，伐十三星，北斗七星，常星九辞③，二十八宿。多者宿二十八九。其犹蓍百茎而共一本，龟千岁而人宝。是以三代传决疑焉。其得地体者，莫如山阜。人之得天得众者，莫如受命之天子。下至公、侯、伯、子、男，海内之心悬于天子，疆内之民统于诸侯。日月食，并告凶，不以其行。有星茀于东方，于大辰，入北斗，常星不见，地震，梁山沙鹿崩，宋、卫、陈、郑灾，王公大夫篡弑者，《春秋》皆书以为大异；不言众星之茀入、霣雨④、原隰之袭崩，一国之小民死亡，不决疑于众草木也。唯田邑之称，多著主名。君将不言臣，臣不言师，王夷、君获，不言师败。孔子曰："唯天为大，唯尧则之。"则之者，大也。巍巍乎其有成功也，言其尊大以成功也。齐桓晋文不尊周室，不能霸；三代圣人不则天地，不能至王。阶此而观之，可以知天地之贵矣。夫流深者其水不测，尊至者其敬无穷。是故天之所加，虽为灾害，犹承而大之，其钦无穷，震夷伯之庙是也。天无错舛之灾，地有震动之异。天子所诛绝，所败师，虽不中道，而《春秋》者不敢阙，谨之也。故师出者众矣，莫言还。至师及齐师围成，成降于齐师，独言还。其君劫外，不得已，故可直言也。至于他师，皆其君之过也，而曰非师之罪。是臣子之不为君父受罪，罪不臣子莫大焉。夫至明者其照无疆，至晦者其阁无疆。今《春秋》缘鲁以言王义，杀隐桓以为远祖，宗定哀以为考妣，至尊且高，至显且明。其基壤之所加，润泽之所被，条条无疆，前是常数，十年邻之，幽人近其墓而高明。大国齐宋⑤，离不言会。微国之君，卒葬之礼，录而辞繁；远夷之君，内而不外。当此之时，鲁无鄙疆，诸侯之伐哀者皆言我。邾娄庶其⑥、鼻我、邾娄大夫，其于我无以亲，以近之故，乃得显明。隐桓，亲《春秋》之先人也，益⑦卒而不日。于稷之会，言其成宋乱，以远外也。黄池之会⑧，以两伯⑨之辞，言不以为外，以近内也。

[注释]

①大辰：星名，为心、房、尾三宿。②大火二十六星：当作"大火十六星"。③九辞：苏舆校：疑为衍文。④霣（yǔn）雨：霣，同"陨"。霣雨，即陨石雨。⑤大国齐宋：当作"大国齐郑"。《春秋·桓公五年》："齐侯郑伯如杞。"⑥庶其：二字为衍字。⑦益师：鲁国公子，隐公元年死。《春秋》不写明益师死时的日期，这是因为年代久远之故。⑧黄池之会：黄池，卫地。《春秋·哀公十三年》：公会晋侯及吴子于黄池。⑨两伯：指鲁君与吴君。《春秋》

此处以"伯"称呼吴君，表示对吴君的重视。

[译文]

　　所谓礼，承继天地，以阴阳为体，而注重主客、安排尊卑、贵贱、大小的次序，明确外内、远近、新旧的关系，人以德多为标准，万物以广博众多历时长久为标准。在天上而表现天的德性的，莫大于日月，他们承继天地的光明而没有不照耀的；星辰莫大于大辰星的，北斗星是永恒不动的常星。中官星共有三百颗，四官星共有三千颗，大火星有十六颗，伐星有十三颗，北斗共有七星，恒星共有二十八宿。星宿达二十八九颗，它们就像蓍草一样，茎虽然有一百条之多，但根只有一个。龟能够生长千年，人们就认为它是宝贝，所以春秋之前的三代时期以它来解决疑难问题。能够体现大地德性的莫过于山川丘陵，而人当中能够得天得众的，莫过于受天命的天子，下至公、侯、伯、子、男五爵，四海之内的民心都归附于天子，各国的国民都由诸侯管理，出现日食和月食都是上天所显示的凶象，是对国君错误行为的提醒。一颗彗星出现在东方的天际，从大辰座的位置进入到北斗星的位置，看不到北斗星，于是出现地震，梁山和沙鹿山崩，宋国、卫国、陈国、郑国出现大的灾害，王公和大夫篡位弑君，《春秋》都记载下来，认为这是大的灾异。《春秋》不记述一般的彗星进入天际、陨石雨，不记述（常见的）平原和湿地的毁陷，不记述一个国家里面下层人民的死亡，就像卜筮时不用一般的草木作为工具（卜筮时要用专门的蓍草来决断）。对于田地城邑的名称，《春秋》一般都会写明它们的主人；国君出征打仗就不称有哪些臣子一起出征；大臣出征就不说明带领军队的是谁；天子受伤、国君被俘获，就不说军队打败仗。孔子说："只有天道最伟大，只有唐尧能效法它。"所谓"效法"，就是以尧效法天德为大。"巍巍乎！其有成功也"，是说尧的德性尊贵高大而建有功业。齐桓公和晋文公如果不尊敬周天子，就不能称霸诸侯，夏商周三代的圣人如果不效法天地，就不能成为至高无上的圣王，由此可以知道天地有多么尊贵了。水流深的河流水深是不可测的，尊崇至高的人，他的敬心是无穷的，所以上天所给予的，即使是灾害，人们也应该承接下来并重视它，对上天尊重不已，雷击夷伯庙祠就是这样的。上天不会胡乱产生灾异，所以大地有地震这样的灾害。天子所谴责和断绝关系的人，打败了其他国家的军队，虽然这不合于正道，但《春秋》的作者不敢不记载下来，这可见其用心的谨慎。所以发动战争的国家很多，《春秋》一般不说还师。而鲁国和齐国围攻郑国，郑国向齐国的军队投降，《春秋》的作者却记载了鲁国还师。这是因为鲁国国君向外发动战争是受了齐国的胁迫，出于不得已，因此《春秋》可以直接这样记载下来。至于其他国家的军队出征，则都是他们国君的过错，《春秋》上说这不是军队的过错，这是谴责臣子不替国君代罪，犯了不臣、不子的罪行。天地间最光明的东西，它的照耀没有边际，天地间最阴晦的东西，它的阴暗也没有边际。《春秋》通过记载鲁国历史来讲王道大义，降低隐公和桓公的地位，认为他们是鲁国的远祖，而以定公和哀公为父母，最尊贵且又最高大，最彰显且又最明白，他们的德行，对于民众的教化，既有条理又深远。与之相邻数十年，再昏愚的人邻近他们的墓也会变得高明起来。齐国和郑国两个大国国君相会，《春秋》不称为"会"；小国国君的丧礼，《春秋》也使用大量的笔墨来记录；对于远方夷狄国君的记载，《春秋》就像记载中原国君那样记载下来。这时，鲁国没有边界，诸侯征伐鲁哀公都称为"伐我"，邾娄的大夫鼻我，和鲁国并没有直接的血缘关系，但他由于时代近的缘故，《春秋》就让他显明；鲁隐公和鲁桓公是鲁国的祖先，所以鲁国公子益师死而没有记录具体的日期；齐国和郑国在宋国稷地的会盟，《春秋》认为造成了宋国的内乱，这是因为时代久而疏远了；鲁哀公参加黄池之会，以"伯"称呼吴国国君，没有把他看做外人，这是因为时代近的缘故而亲近他。

卷 十

实性第三十六

[题解]

此篇阐述了董仲舒的人性思想。他认为人性并非本来就是善的,只是具有善的萌芽,必须通过王道教化才能使这善质发展成真正的善。人性论是儒家思想的重要内容,孟子坚持性善的人性思想,荀子则主张性恶论,认为礼乐教化可以改变人性。董仲舒在这个问题上既不同于孟子,也不同于荀子,取论在二人之间。

孔子曰:"名不正则言不顺。"今谓性已善,不几于无教而如其自然,又不顺于为政之道矣。且名者性之实,实者性之质。质无教之时,何遽能善?善如米,性如禾。禾虽出米,而禾未可谓米也。性虽出善,而性未可谓善也。米与善,人之继天而成于外也,非在天所为之内也。天所为,有所至而止。止之内谓之天,止之外谓之王教。王教在性外,而性不得不遂。故曰性有善质,而未能为善也。岂敢美辞,其实然也。天之所为,止于茧麻与禾。以麻为布,以茧为丝,以米为饭,以性为善,此皆圣人所继天而进也,非情性质朴之能至也,故不可谓性。正朝夕者视北辰,正嫌疑者视圣人。圣人之所名,天下以为正。今按圣人言中,本无性善名,而有善人吾不得见之矣。使万民之性皆已能善，善人者何为不见也？观孔子言此之意，以为善甚难当。而孟子以为万民性皆能当之，过矣。圣人之性不可以名性，斗筲之性又不可以名性，名性者，中民之性。中民之性如茧如卵。卵待覆二十日而后能为雏，茧待缫①以涫汤②而后能为丝，性待渐于教训③而后能为善。善，教训之所然也，非质朴之所能至也，故不谓性。性者宜知名矣，无所待而起，生而所自有也。善所自有，则教训已非性也。是以米出于粟，而粟不可谓米；玉出于璞④，而璞不可谓玉；善出于性，而性不可谓善。其比多在物者为然，在性者以为不然，何不通于类也？卵之性未能作雏也，茧之性未能作丝也，麻之性未能为缕也，粟之性未能为米也。《春秋》别物之理以正其名，名物必各因其真。真其义也，真其情也，乃以为名。名霣石则后其五，退飞则先其六，此皆其真也。圣人于言无所苟⑤而已矣。性者，天质之朴也；善者，王教之化也。无其质，则王教不能化；无其王教，则质朴不能善。质而不以善性，其名不正，故不受也。

[注释]

①缫（sāo）：即缫，抽丝。②涫汤：沸滚的水。③教训：教化与训导。④璞：含玉之石。⑤无所苟：不随意。

[译文]

孔子说过："名不正则言不顺。"既然人们说人性已是善的了，那不就等于说顺其自然就可以，这样说的话就不合于教化与施行政治的道理了。名义是性的实质，实在是性的本质。人的本质未经教化，如何能达到善？善就像是大米，性就像是禾，禾虽然可以变成米，但禾不等于就是米；人性虽然可以成为善的，但性不等于就是善。像大米和性善，都是继承于天而成就于人为的，不是完全在天的范围之内决定的。天能做的事情是有限度、有止境的。在一定限度内为天所决定，在此限度之外，就是王教的领域了。王教在本性之外，而人性不能不被它所成就。因此说，性有善的质，但不见得就能成为善。我岂敢夸饰此言，所说的都是实情。天能做的事情，比方说，限于生长出茧、麻与禾等物，至于将麻做成布，将茧做成丝，将米做成饭，使性成为善，这都是圣人继承天意而更进一步所为，不是天生的情性质朴就能达到的，因此不可称之为性。人们想要辨别早晨或傍晚，就看一看北斗星，想要辨别嫌疑，就看一看孔子所为。孔子所说的话，天下人都以为是正理。依照孔子说的，孔子并没有讲过"性善"这个词，只说过"善人，我没有办法见到他啊"这一句话。如果说人们都已是善的，孔子怎么会说没办法见到善人那句话呢？体会孔子说的这句话，他似乎认为善是很难承当的一种品质。而孟子却认为普通人都能承当性善，这话就说得过分了。圣人的人性不能称之为普遍的人性，小人的人性也不能称为普遍的人性，只有中等人、普通人的人性才可以称为普遍的人性。中等人的人性就像是茧和卵，卵在孵育二十天后才能成为雏鸟，而茧只有在缫丝和煮过之后才能成为丝，人性只有在经历教化之后才能成为善。"善"是经过教化得来的，不是仅靠质朴所能成就的，因此不能把善称之为性。"性"从名称上来说，是本来就有的，不需要什么条件的。若善是本来就有的，那么教训出来的善就不是本性。因此米出于禾粟，而粟不可直接称为米；玉出于璞，然而璞不可直接称为玉；善出于人性，而人性不可直接称为善。这种类比放在物上人们都可以赞同，但是放在人性上却不赞成，为什么这么不懂得类比呢？卵的性不能称为雏，茧的性不能称为丝，麻的性不能称为缕，粟的性不能称为米。《春秋》分别万物之理以正其名，名和物各得其真。以名称来表示真实的意义和情况。比如说陨石的时候先说陨石，后说其数目为六（因为人眼先看见陨石，其后落地才观察到数目），说六鹢退飞时先说六（因为先看见六只鸟，其后才看清是鹢），这都是求真的例子。圣人（孔子）对于文字从来都是

实性第三十六

不随意为之的。性是天生的质朴；善是后天的王教之化。没有这个质朴之性，王教也不能起到作用；但是没有王教之化，质朴之性也不可能成为善。不能将善作为性，这样的话名义不正，世人不能接受这样的说法。

诸侯第三十七

[题解]

　　此篇申明天子封建诸侯国的用意。天子所做的一切皆为了养民，而自身居于王畿，对于远方千里之外的人民难以顾及，因此才分封诸侯。诸侯的使命是随时听从天子的召唤，传达天子的恩惠给人民，汇报各地人民的情况。

　　生育养长，成而更生，终而复始，其事所以利活民者无已①。天虽不言，其欲赡足之意可见也。古之圣人，见天意之厚于人也，故南面而君天下，必以兼利②之。为其远者目不能见，其隐者耳不能闻，于是千里之外，割地分民，而建国立君，使为天子视所不见，听所不闻，朝者召而问之也，诸侯之为言，犹诸侯也。

[注释]

　　①已：停止。②兼利：兼而得利。

[译文]

　　上天养育万物，万物生长、死亡，又再生，周而复始，这些都是人民赖以生活的资源，而且永远都不会停息。上天虽然不张口说话，但是可见其赡养万民的意愿。古代的圣人体会上天对人类的厚意，因此在称王之后，尽力使人民得以存活，以成全上天的美意。

天子对于那些目不能所及、耳不能所闻的千里之外的遥远之地，就割划土地和分配民众、建立国家和君长，使他们为天子视察那些目不能及、耳不能闻的地方。"朝"的意思就是召见来询问的意思，"诸侯"的意思就是诸位服事天子的人。

五行对第三十八

[题解]

此篇集中论述"孝"之大义。董仲舒认为,"孝"充满于天地、四季、五行,因此具有永恒性。作为自然的五行与人类的五种行为也是一一对应的。人类"孝"的观念来自于五行,尤其是从五行中的"土"得来的。天地有生生之义,人也应该效法天地之道,做忠臣孝子。

河间献王问温城董君曰:"《孝经》曰:'夫孝,天之经,地之义。'何谓也?"对曰:"天有五行,木火土金水是也。木生火,火生土,土生金、金生水。水为冬,金为秋,土为季夏①,火为夏,木为春。春主生,夏主长,季夏主养,秋主收,冬主藏。藏,冬之所成也。是故父之所生,其子长之;父之所长,其子养之;父之所养,其子成之。诸②父所为,其子皆奉承③而续行之,不敢不致如④父之意,尽为人之道也。故五行者,五行⑤也。由此观之,父授之,子受之,乃天之道也。故曰:夫孝者,天之经也。此之谓也。"王曰:"善哉!天经既得闻之矣,愿闻地之义。"对曰:"地出云为雨,起气为风。风雨者,地之所为。地不敢有⑥其功名,必上之于天。命若从天气者⑦,故曰天风天雨也,莫曰地风地雨也。勤劳在地,名一归于天,非至有义,其孰能行此？故下事上，如地事天也，可谓大忠矣。土者，火之子也。五行莫贵于土。土之于四时无所命者，不与火分功名。木名春，火名夏，金名秋，水名冬。忠臣之义，孝子之行，取之土。土者，五行最贵者也，其义不可以加矣。五声莫贵于宫，五味莫美于甘，五色莫盛于黄，此谓孝者地之义也。"王曰："善哉！"

[注释]

①季夏：夏历六月。②诸：凡。③奉承：遵照，接受。④如：顺从，服从。⑤五行：即仁、义、礼、智、信五种品行。⑥有：独占，独霸。⑦命、气：苏舆注："上'命'字，疑在下句'曰'字上。气，疑作'下'。"

[译文]

河间献王询问温城董君说："《孝经》上说：'孝道，是天经地义的。'是什么意思？"董君回答说："大自然存在五种物质，是木、火、土、金、水。木生火，火生土，土生金，金生水。水代表冬季，金代表秋季，土代表夏历六月，火代表夏季，木代表春季。春季主宰着万物的出生，夏季主宰着万物的成长，夏历六月主宰着万物的养成，秋季主宰着万物的收获，冬季主宰着万物的贮藏。贮藏是冬季所要完成的任务。因此父亲所生成的东西，他的孩子就要长成它；父亲所养育的东西，他的孩子就要抚养它；父亲所抚养的东西，他的孩子就要完成它。凡是父亲所做的，他的孩子必须都要接受下来而且继续做下去，不敢不实现父亲的意愿，这才是尽到做人的原则。所以五行，是仁、义、礼、智、信五种品行。由此看来，父亲授予它，儿子接受它，是上天的原则。所以说：孝是上天的根本。说的就是这个道理。"河间献王说："好呀！上天的根本已经知晓了，希望听一听孝为大地的准则。"董君回答说："大地生出云彩可以生成雨水，生成气可以变成风。刮风下雨，是地所生成的。大地不敢独占功绩和名声，一定向上归属于天。如从天上往下来的，都叫做天风天雨，而不称做地风地雨。勤劳出自大地身上，功绩和名声归属于上天，不是达到至高的义理，谁能做到这样？所以下边侍奉上边，就好比大地侍奉上天，可以称为最大的忠诚。土是火之子，五行中没有什么比土更为可贵的。土在四季中没有命名的对象，也不与火分得功绩和名声。木称名春季，火称名夏季，金称名秋季，水称名冬季。忠臣的道义，孝子的行为，都从土那里取得。土是五行中最可贵的，它的道义不能再增加了。五声中没有比宫音更可贵的，五味中没有比甜味更美的，五色中没有比黄色更兴盛的，这就说明孝是大地的准则。"河间献王说："很好呀！"

卷十一

为人者天第四十一

[题解]

此篇论述天人关系。董仲舒提出,天为人所本,人之形体来自于天,人是天的副本。天子之位自天而任命,天子又自己任命诸侯的国君,国君则为一国之人所仰赖。人民应该敬天命,而敬天命的表现就是顺从与效忠君主。

为生①不能为人,为人者天也。人之人本于天②,天亦人之曾祖父也。此人之所以乃上类天也。人之形体,化天数而成;人之血气,化天志而仁;人之德行,化天理而义;人之好恶,化天之暖清;人之喜怒,化天之寒暑;人之受命,化天之四时。人生有喜怒哀乐之答,春秋冬夏之类也。喜,春之答也;怒,秋之答也;乐,夏之答也;哀,冬之答也。天之副在乎人。人之情性有由天者矣。故曰受③,由天之号④也。为人主也,道莫明省身之天,如天出之也,使其出也,答天之出四时而必忠其受也,则尧舜之治无以加。是可生可杀,而不可使为乱。故曰:"非道不行,非法不言。"此之谓也。

《传》曰:唯天子受命于天,天下受命于天子,一国则受命于君。君命顺,则民有顺命;君命逆,则民有逆命。故曰:"一人有庆,兆民赖之。"此之谓也。

《传》曰：政有三端：父子不亲，则致其爱慈；大臣不和，则敬顺其礼；百姓不安，则力其孝弟。孝弟者，所以安百姓也。力者，勉行之，身以化之。天地之数，不能独以寒暑成岁，必有春夏秋冬。圣人之道，不能独以威势成政，必有教化。故曰：先之以博爱，教以仁也；难得者，君子不贵，教以义也；虽天子必有尊也，教以孝也；必有先也，教以弟也。此威势之不足独恃，而教化之功不大乎？

《传》曰：天生之，地载之，圣人教之。君者，民之心也；民者，君之体也。心之所好，体必安之；君之所好，民必从之。故君民者，贵孝弟而好礼义，重仁廉而轻财利，躬亲职此于上，而万民听，生善于下矣。故曰："先王见教之可以化民也。"此之谓也。

衣服容貌者，所以说目也；声音应对者，所以说耳也；好恶去就者，所以说心也。故君子衣服中而容貌恭，则目说矣；言理应对逊，则耳说矣；好仁厚而恶浅薄，就善人而远僻鄙⑤，则心说矣。故曰："行思可乐，容止可观。"此之谓也。

[注释]

①为生：当作"为生者"。指负责生养的父母。②人之人本于天：当作"人之为人本于天"。③受：同"授"。④号：名号。⑤远僻鄙：僻，行为不端正的人；鄙，指目光短浅的人。

[译文]

生育人的父母并不能成就人，成就人的是天。人之所以能够成为人是由于人源于天，所以说天也就是人的曾祖父，这就是人之所以与天相类的原因。人的形体，是天数变化而成的；人的血气，由天志的变化而成仁；人的德行，是由天理的变化而成义；人的好恶，是变化了天的暖清而形成的；人的喜怒，是天的寒暑的变化；人所受的天命，是天的四时的变化。人有喜怒哀乐，与天的春夏秋冬相类似。喜，是春季的体现；怒，是秋季的体现；乐，是夏季的体现；哀，是冬季的体现。天的体现在乎人，而人的性情，又是天所赋予的。所以说，天授命于人、人受命于天，是由上天的名号而来的。而作为国君，要了解大道，没有比通过省察自身中具有的天来得更彰明的了，他的所为就像获得了天的指命，因此他顺应天命去治国，就跟上天生出四季是相应的，如果能做到这样，那尧舜时期的贤明政治也不会比他的统治更好。对于臣子，可以让他活，也可以让他死，但决不能让他作乱。所以说：不合乎道就无法实行，不合乎法的话不讲。说的就是这个意思。

《传》中说：天子从天那里接受天命，而天下的诸侯又都是从天子那里接受君命，而一国国内的民众又从国君那里接受君命。国君顺乎天道，民众就顺从他的命令；国君违逆天道，民众也会违逆他的命令。所以古语说："君主做了善事，人民都会依赖他。"说的就是这个意思。

《传》说：国家的政事一共有三件：父亲和孩子之间不亲近，就要使他们相互亲爱；众大臣不和睦，就要使他们相互尊敬顺从礼义；百姓的内心不安定，就要使他们努力履行孝悌。孝悌可以用来安定百姓。力是努力履行的意思，要以自己为表率来教化他们。天地的数运，不能仅以寒暑为一年，必须要有春夏秋冬。圣人治理民众，不能仅以权威和势力，一定要教化他们。所以说：以博爱为先，以仁来教育民众；君子不看重昂贵的东西，而是要以礼义来教导民众。即使贵为天子，也一定有他所尊敬的人（父母），也要用孝道来教导民众；一家当中有兄弟，也要用悌道来教导民众。不能只依靠权威和势力，教化的作用不是更大吗？

《传》说：天产生民众，地承载民众，圣人教导民众。所谓国君，是百姓的心；所谓百姓，是国君的肢体。心中所喜欢的东西，那么肢体必然会使之安定；国君所喜欢的，民众一定顺从。所以治理民众的人，应该要以孝悌之道为重并爱好礼义，以仁爱廉洁为重而以财物利益为轻，亲自躬行则民众就会信服，在民众当中就会产生出善。所以说："先王发现教导百姓可以改变他们的风俗。"说的就是这个意思。

穿好看的衣服和打扮容貌，是为了使眼睛愉悦；让声音相互应和，是为了使耳朵愉悦；亲近喜欢的而远离讨厌的，这可以使心灵获得快乐。所以有道德的人穿衣服适度而容貌恭敬，于是看到他的人眼睛就会感到快乐；说法合乎情理而又谦逊，那么听到他说话的人就会感到快乐；喜欢仁厚而讨厌浅薄，接近道德高尚的人而远离心灵狭隘的人，于是人们同他交往时，心里也会感到快乐。所以说："行为和思想要能够使人产生快乐，容貌举止要能够使人乐于观赏。"说的就是这个意思。

五行之义第四十二

[题解]

　　此篇详细介绍了五行的定义、性质及其相生相克的关系,并把五行与人事紧密地联系起来。篇中提出这样的观点:五行中最为尊贵的是土,土德为忠,因此臣事君犹如大地之敬天。

　　天有五行:一曰木,二曰火,三曰土,四曰金,五曰水。木,五行之始也;水,五行之终也;土,五行之中也。此其天次①之序也。木生火,火生土,土生金,金生水,水生木,此其父子也。木居左,金居右,火居前,水居后②,土居中央,此其父子之序,相受③而布。是故木受水,而火受木,土受火,金受土,水受金也。诸授之者,皆其父也;受之者,皆其子也;常因其父以使其子,天之道也。是故木已生而火养之,金已死而水藏之,火乐木而养以阳,水克金而丧以阴,土之事火竭其忠。故五行者,乃孝子忠臣之行也。五行之为言也,犹五行欤? 是故以得辞④也。圣人知之,故多其爱而少严,厚养生而谨送终,就天之制也。以子而迎成养,如火之乐木也;丧父,如水之克金也;事君,若土之敬天也。可谓有行人矣。五行之随,各如其序;五行之官,各致其能。是故木居东方而主春气,火居南方而主夏气,金居西方而主秋气，水居北方而主冬气。是故木主生而金主杀，火主暑而水主寒，使人必以其序，官人必以其能，天之数也。土居中央，为⑤之天润。土者，天之股肱⑥也，其德茂美，不可名以一时之事，故五行而四时者，土兼之也。金木水火虽各职，不因土，方不立，若酸咸辛苦之不因甘肥不能成味也。甘者，五味之本也；土者，五行之主也。五行之主土气也，犹五味之有甘肥也，不得不成。是故圣人之行，莫贵于忠，土德之谓也。人官之大者，不名所职，相其是矣；天官之大者，不名所生⑦，土是矣。

[注释]

①次：排列。②左：东方。右：西方。前：南方。后：北方。③相受：相继。④得辞：得名。⑤为：谓。⑥股肱：大腿和胳膊，引申为辅佐君主的大臣。⑦生：疑为"主"。

[译文]

天有五行：一是木，二是火，三是土，四是金，五是水。木是五行的开始；水是五行的结尾；土在五行的中间。这是上天排列的顺序。木生火，火生土，土生金，金生水，水生木，这是它们之间相生的关系。木位于东方，金位于西方，火位于南方，水位于北方，土位于中央，这是它们之间相生的顺序，相继的分布。所以木继水而火继木，土继火，金继土，水继金。各个生成他者的，类似于父亲的地位；各个继承他者的，类似于儿子的地位；天道就是经常通过父亲来支使儿子。所以木生成火而火奉养木，金死而水埋藏金，火喜好木就以阳气养木，水克制金就以阴气丧失金，土服侍火就用尽全部的忠诚。所以五行是孝子忠臣的品德。五行作为一种学说，不正犹如五种品行吗？是因为这样而得名的。圣人了解这些，所以推崇仁爱又减少严厉，重视在父母生前很好地奉养，父母去世后庄重地处理丧事，这些都属于天道的规则。儿子迎持奉养父母，就如同火喜好木一样；失去父亲，如同水克金一样；服侍君主，如同土恭敬上天一样。可以说是有德行的人。五行的顺接，分别和它们的次序一样；五行的职能，各自显现它们的能力。所以木居于东方主春天的阳和之气，火居于南方主夏天的酷热之气，金居于西方主秋天的肃杀气，水居于北方主冬天的酷寒之气。因此木预示生长而金代表凋落，火预示炎热而水代表寒冷，命令人必定根据它们的次序，授以官职必须根据它们的能力，这是上天的规律。土居于中央，称为上天恩泽的地方，土是上天的得力之士，它的德行美好，不能用一季的事务来表明，所以五行而有四季，土兼有四季，金木水火虽然各有自己的职责，但没有土，不能成为四方，就像酸咸辛苦缺了甘就不能成为五味。甘是五味的根本；土是四方的主事。五行的根本是土，犹如五味中有甘，没有土就不能成就四方，没有甘就没有五味。所以圣人的品行，没有比忠诚更珍贵的，这是土的德行。人世间官职最大的，不能说它专门职掌什么，宰相就是这样；上天的官职中地位最高的，不能说它专门执掌什么，土就是这样。

阳尊阴卑第四十三

[题解]

董仲舒在此篇中阐发了他的主要观点：阴阳之间，阳尊贵而阴卑微。阳为天、君、父、夫、德；阴为地、臣、子、妇、刑。阳为主，阴应当服从、辅佐阳。无论是天道还是人道，都要贯彻尊阳而贬阴的原则。

天之大数，毕于十旬。旬天地之间，十而毕举；旬生长之功，十而毕成。①十者，天数之所止也。古之圣人，因天数之所止，以为数纪②。十如更始③，民世世传之，而不知省其所起。知省其所起，则见天数之所始；见天数之所始，则知贵贱逆顺所在；知贵贱逆顺所在，则天地之情著，圣人之宝出矣。是故阳气以正月始出于地，生育长养于上，至其功必成④也，而积十月。人亦十月而生，合于天数也。是故天道十月而成，人亦十月而成，合于天道也。故阳气出于东北，入于西北，发于孟春，毕于孟冬，而物莫不应是。阳始出，物亦始出；阳方盛，物亦方盛；阳初衰，物亦初衰。物随阳而出入，数随阳而终始，三王之正⑤随阳而更起。以此见之，贵阳而贱阴也。故数日者，据昼而不据夜；数岁者，据阳而不据阴。阴不得达之义。是故《春秋》之于昏⑥礼也，达宋公而不达纪侯之母⑦。纪侯之母宜称而不达，宋公不宜称而达，达阳而不达阴，以天道制之也。丈夫虽贱皆为阳，妇人虽贵皆为阴。阴之中亦相为阴，阳之中亦相为阳。诸在上者皆为其下阳，诸在下者皆为其上阴。阴犹沈⑧也，何名何有？皆并一于阳，昌力而辞功。故出云起雨，必令从之下，命之曰天雨。不敢有其所出，上善而下恶。恶者受之，善者不受。土若地，义之至也。是故《春秋》君不名恶，臣不名善，善皆归于君，恶皆归于臣。臣之义比于地，故为人臣者，视地之事天也。为人子者，视土之事火也。虽居中央，亦岁七十二日之王⑨，傅⑩于火以调和养长，然而弗名者，皆并功于火，火得以盛，不敢与父分功美，孝之至也。是故孝子之行，忠臣之义，皆法于地也。地事天也，犹下之事上也。地，天之合也，物无合会之义。是故推天地之精，运阴阳之类，以别顺逆之理。安所加以不在？在上下，在大小，在强弱，在贤不肖，在善恶。恶之属尽为阴，善之属尽为阳。阳为德，阴为刑。刑反德而顺于德，亦权之类也。虽曰权，皆在权成。⑪是故阳行于顺，阴行于逆。逆行而顺⑫，顺行而逆者，阴也。是故天以阴为权，以阳为经。阳出而南，阴出而北。经用于盛，权用于末。以此见天之显经隐权，前德而后刑也。故曰：阳，天之德；阴，天之刑也。阳气暖而阴气寒，阳气予而阴气夺，阳气仁而阴气戾，阳气宽而阴气急，阳气爱而阴气恶，阳气生而阴气杀。是故阳常居实位而行于盛，阴常居空位而行于末。天之好仁而近，恶戾之变而远，大德而小刑之意也。先经而后权，贵阳而贱阴也。故阴，夏入居下，不得任岁事，冬出居上，置之空处也。养长之时伏于下，远去之，弗使得为阳也。无事之时，起之空处，使之备次陈，守闭塞也。此皆天之近阳而远阴，大德而小刑也。是故人主近天之所近，远天之所远，大天之所大，小天之所小。是故天数右⑬阳而不右阴，务德而不务刑。刑之不可任以成世也，犹阴之不可任以成岁也。为政而任刑，谓之逆天，非王道也。

[注释]

①旬：第一个"旬"字为衍字，第二、第三个"旬"字为周遍，包含，包括之意。②数纪：数目的准则、法则。③十如更始：数目数到十就又重新开始。④必成：当作"毕成"，全部成熟之意。⑤三王之正：夏、商、周三代的历法。夏以寅月为正月，商以丑月为正月，周以子月为正月。⑥昏：通"婚"。⑦宋公：宋共公。据《公羊传》的纪事原则，婚聘应当由父母来进行。宋共公自己主持婚礼本不合礼制，但因其父母去世，只能自己派人去鲁国婚聘。而纪侯虽然母亲还在世，但据《公羊传》"母不通也"的原则，所以纪母之命不能通达国外。⑧沈：同"沉"，阴沉。⑨岁七十二日之王：按照五行家的说法，一年三百六十日，每一行主管七十二日。王，主宰。⑩傅：意思同"附"，靠近。⑪虽曰权，皆在权成：当作"虽曰权，皆在经成"。权，变通。经，固定不变，原则。⑫逆行而顺：有阙文，当作"逆行而顺者，阳也"。⑬右：同"佑"，护佑，保佑。

[译文]

天最大的数目到十就穷尽了。天地间所有的事物，用十就可以概括；事物的整个生长过程也可以用十来总结。十是上天数目的终结。过去的圣人，通过天数终止的数字，作为数目的准则。从十以后又开始新的一轮数字，老百姓世世代代相传下来，却不知道它的由来。明白了数字的由来，就知道天数的开始。知道天数的开始，就明白贵贱和逆顺的根据，明白贵贱逆顺的根据，天地的本性和圣人的本质就显现出来了。所以阳气在正月开始从大地上产生，经过生长繁育的过程，到成熟的时候，需要十个月的时间。人也是经过十个月才能出生，这是和天数相合的。所以天道是十个月生成事物，人也是要十个月才生成，这也和天道是相符的。所以阳气从东北产生，进入到西北，在初春萌发，而在初冬结束，万物没有不与之相应的。阳气产生时，万物也开始产生；阳气旺盛时，万物也达到旺盛；阳气开始衰弱时，万物也开始衰弱。万物随着阳气的出入而变化，数目随着阳气的盛衰而变化，三代的历法也是随着阳气的变化而更替。由此可以证明，阳为贵而阴为贱。所以计算时日是根据白天而不是根据晚上；计算年月是根据阳气而不是根据阴气，这是阴气不能通达的缘故。因此《春秋》对于婚礼的事，记载宋共公派人到鲁国纳币，而不记载纪侯之母派人到鲁国迎亲，本来纪侯之母作为长辈主持婚事应当被称举，宋共公自己主持自己的婚礼，不应当被称举。可是结果却相反。因为《春秋》通达阳（宋共公）而不通达阴（纪侯之母），这是根据天道制定的缘故。男性即使低贱也属于阳，女性即使高贵也属于阴。阴气之中还相互生出阴气，阳气之中也相互生出阳气。在上位的对于下位的来说是阳，而在下位的对于上位来说是阴。阴的属性就如阴沉，哪来的名义和实有呢？都是从属于阳的，付出很多却不受功。所以乌云产生雨水，一定导致其向下，名之曰"天下雨"。在下的不敢有所产生，因为在上的是善而在下的是恶，恶者应当由在下的承受，而在上的不承受。土的属性如同大地，这是最高的道义。因此《春秋》对君主不称恶，而对大臣不称善，善的都归为君主，而恶的都归为大臣。为臣之道如同大地一样。所以做大臣的，要像大地侍奉上天一样侍奉君主；做儿子的，要像土侍奉火一样侍奉父亲。土虽然位居中央，并且主宰七十二日，靠近火以调和养长，然而无名，是将功劳都归为火的原因。火得以旺盛，是土不与其争夺功劳与美德，这才是最大的孝啊。所以孝子的德行，忠臣的大义，都是从效法大地中得来的。大地侍奉上天，就和在下位的服侍上位一样。大地，是和上天相合的，物则没有相合的大义。所以根据天地的精义和阴阳的标准，来区分顺逆的道理，哪里不体现这个道理呢？在上下、大小、强弱、贤不肖、善恶中都有体现。凡是恶的都属于阴，凡是善的都属于阳。阳表现为德政，而阴表现为刑罚。刑罚虽然与德政相对但却是它的辅助，这也是变通的情形。虽然说是变通，但目的却和原则是一致的。因此阳气在顺境中运行，阴气在逆境中运行。逆行却顺和的是阳气，顺行而违逆的是阴气。所以上天用阴气作为变通而用阳气作为准则。阳气出现就向南方，阴气出现就向北方。准则用于常规情况，而变通用于特殊情况。由此可见上天显现恒定的准则而隐没变通的手段，先用德政而后用刑罚。所以说：阳气是上天的德政，阴气是上天的刑罚。阳气温暖而阴气寒冷，阳气给予而阴气剥夺，阳气仁爱而阴气暴戾，阳气宽和而阴气急躁，阳气可爱而阴气厌恶，阳气生长而阴气肃杀。因此阳气常居于实位而用于常规情况，阴气常居于虚位而用于变通的情况。上天喜欢仁爱并接近它，厌恶权变并疏远它，以德政为大而以刑罚为小。使经在权先，以阳为贵而以阴为贱。所以阴气在夏天就潜伏在下，不能充任年岁的事务。冬天居于上位，积聚在空虚之处。阴气在阳气生养长成之时潜伏于下，以远离阳气。在没有事的时候使其积聚在空虚之处，让它处在预备的行列，守护闭塞的地方。由此可见上天也是亲近阳气而疏远阴气，以德政为大而以刑罚为小。因此君主应当亲近上天所亲近的，而疏远上天所疏远的，和上天制定的法则保持一致。所以上天护佑阳而不护佑阴，致力于德而不致力于刑。刑罚不能作为治世的法则，就像阴气不能担任年岁的职责一样。治理国家而任用刑罚，被称为违背上天，不是王道的做法。

王道通三第四十四

[题解]

　　王道贯通天、地、人，王者受天命而治理人，是代表天进行统治，因此具有至高的尊严。君臣之义也正是来自于此。王者应该效法天地、顺应自然，而不应当听凭私心以及个人的喜怒哀乐行事，以致损伤天理人道。

　　古之造文者，三画而连其中，谓之王。三画者，天、地与人也，而连其中者，通其道也。取天地与人之中以为贯而参通之，非王者孰能当是？是故王者唯天之施，施其时①而成之，法其命而循之诸人，法其数以以起事，治其道而以出法②，治其志而归之于仁。仁之美者在于天。天，仁也。天覆育万物，既化而生之，有养而成之，事功无已，终而复始，凡举归之以奉人，察于天之意，无穷极之仁也。人之受命于天也，取仁于天而仁也。是故人之受命天之尊，父兄子弟之亲，有忠信慈惠之心，有礼义廉让之行，有是非逆顺之治，文理灿然而厚，知广大有而博③，唯人道为可以参天。天常以爱利为意，以养长为事，春秋冬夏皆其用也。王者亦常以爱利天下为意，以安乐一世为事，好恶喜怒而备用也。然而主之好恶喜怒，乃天之春夏秋冬也，其俱暖清寒暑，而以变化成功也。天出此物者，时则岁美，不时则岁恶。人主出此四者，义则世治，不义则世乱。是故治世与美岁同数，乱世与恶岁同数，以此见人理之副天道也。天有寒有暑，夫喜怒哀乐之发，与清暖寒暑，其实一贯也。喜气为暖而当春，怒气为清而当秋，乐气为太阳而当夏，哀气为太阴而当冬。四气者，天与人所同有也，非人所能蓄也，故可节而不可止也。节之而顺，止之而乱。人生于天，而取化于天。喜气取诸春，乐气取诸夏，怒气取诸秋，哀气取诸冬，四气之心也。四肢之答各有处，如四时；寒暑不可移，若肢体；肢体移易其处，谓之壬人；寒暑移易其处，谓之败岁；喜怒移易其处，谓之乱世。明王正喜以当春，正怒以当秋，正乐以当夏，正哀以当冬。上下法此，以取天之道。春气爱，秋气严，夏气乐，冬气哀。爱气以生物，严气以成功，乐气以养生，哀气以丧终，天之志也。是故春气暖者，天之所以爱而生之；秋气清者，天之所以严以成之；夏气温者，天之所以乐而养之；冬气寒者，天之所以哀而藏之。春主生，夏主养，秋主收，冬主藏。生溉其乐以养，死溉其哀以藏，为人子者也。故四时之行，父子之道也；天地之志，君臣之义也；阴阳之理，圣人之法也。阴，刑气也；阳，德气也。阴始于秋，阳始于春。春之为言，犹偆偆也；秋之为言，犹湫湫也。偆偆④者，喜乐之貌也，湫湫⑤者，忧悲之状也。是故春喜、夏乐、秋忧、冬悲，悲死而乐生。以夏养春，以冬藏秋，大人之志也。是故先爱而后严，乐生而哀终，天之当也。而人资诸⑥天。天固有此，然而无所之，如其身而已矣。人主立于生杀之位，与天共持变化之势，物莫不应天化。天地之化如四时，所好之风出，则为暖气，而有生于俗；所恶之风出，则为清气，而有杀于俗。喜则为暑气，而有养长也；怒则为寒气，而有闭塞也。人主以好恶喜怒变习俗，而天以暖清寒暑化草木，喜怒时而当则岁美，不时而妄则岁恶，天地人主一也。然则人主之好恶喜怒，乃天之暖清寒暑也，不可不审其处而出也。当暑而寒，当寒而暑，必为恶岁矣。人主当喜而怒，当怒而喜，必为乱世矣。是故人主之大守，在于谨藏而禁内⑦，使好恶喜怒必当义乃出，若暖清寒暑之必当其时乃发也。人主掌此而无失，使乃好恶喜怒未尝差也，如春秋冬夏之未尝过也，可谓参天矣。深藏此四者而勿使妄发，可谓天⑧矣。

[注释]

①施其时：当作"法其时"，即取法于天地的四时。②治其道而以出法：当作"法其道而以出治"。③知广大有而博：当作"知广大而有博为"。④偆（chǔn）偆：高兴的样子。⑤湫湫：悲愁的样子。⑥诸："之于"的合音字。"人资诸天"即"人资之于天"。⑦内：同"纳"，即收取。⑧天：天道。

[译文]

古代创造文字的人，画三画而中间以一竖相连，称为"王"字。所谓三画，就是指天、地、人，而连在它们中间的，就是道。道取天、地、人三者之中而使之一贯，相互贯通，不是王谁能担当呢？所以说所谓的王，是天所施予的，取法于四时而使之成就，取法天命而在民众中施行，取法天数来做事，取法天道来治理，修治心志而归于仁爱。仁爱的美好在于它源于天。所谓天，就是仁爱。天生育万物，既化生它们，又养育而使它们成就，所以天的功绩是没有穷尽的，结束了又重新开始，循环不已。天下万物都是为了成就人，体察天的心意，那是无穷尽的仁爱。人从天那里接受天命，取法天的仁爱而仁爱，所以人接受的天命是最尊贵的，父子、兄弟的亲情，有忠心、信心、慈心、恩惠心，有礼义廉让的行为，有对是非逆顺的治理方法，条理清晰而又宽厚待人，知识宽博广大，只有人道可以与天贯通。天以仁爱和有利于他人为其立意，以生养培育为事，所以春夏秋冬都是天的功用所在。王也经常以仁爱和有利于天下民众为立意,以民众能够安居乐业为事,好恶喜怒都是王的治国方法和手段。然而王的好恶喜怒,就是天的春夏秋冬,具备温暖、清爽、寒冷、酷暑,以其相互的变化而成事。天产生四时的变化,适时变化就会有好的收成,不能适时变化就没有好的收成。王者四情的变化如果正当,社会就会安定,如果不正当,就会造成社会的动乱。所以社会的安定和丰年是同样的道理,社会不安定和凶年也是同样的道理,由此可见人道与天道的贯通。天有严寒和酷暑,而王的喜怒哀乐和天的清暖寒暑是一以贯之的。喜气为温暖而与春相符,怒气为清爽而与秋相符,乐气为纯阳而与夏相符,哀气为纯阴而与冬相符。这四种气,天和人都有,不是只有人具备,所以可以节制但不可以完全废止。节制它就可以一切顺遂,废止它则会产生动乱。人由天而生成,又效法于天。喜气是取法于春,乐气取法于夏,怒气取法于秋,哀气取法于冬,这是四气的真正内涵。人的四肢各如其位,就好像是四时;严寒和酷暑不能移动就好比四肢不能移动一样;四肢移动了位置,就称为妖人;寒暑移动了位置,就称为坏的年份;喜怒变动了位置,就称为乱世。圣明的君王端正喜气以适于春,端正怒气而适于秋,端正乐气而适于夏,端正哀气以适于冬,上下取法于天的大道。春气体现仁爱,秋气体现严肃,夏气体现快乐,冬气体现悲哀。仁爱产生万物,严肃使之成就,快乐使其修养生长,悲哀体现在丧终的时候。这是天的志愿。所以春气为温暖,天就以仁爱而生育万物;秋气清爽,天就以严肃而成就万物;夏气温暖,天就以快乐而长养万物;冬气寒冷,天就以悲哀而隐藏万物。春季为生育,夏季为长养,秋季为收敛,冬季为隐藏。生育而辅以快乐就能长养,死亡而辅以悲哀就能隐藏,这是为人子的道理。因此,四时的运行,就是父子间的道理;天地的心志,就是君臣间的大义;阴阳之理,就是圣人的法则。阴气主刑狱,阳气主德行。阴气开始于秋天,阳气开始于春天,春字念起来就好像蠢蠢欲动的意思。秋字念起来就好像漱漱而悲的意思。蠢蠢欲动是欢喜快乐的样子，漱漱而悲是忧愁悲哀的样子。所以春主欢喜、夏主快乐、秋主忧伤、冬主悲哀，对死悲哀对生欢乐。以夏气生养春气，以冬气来收储秋天之气，是士君子的志向。所以先仁爱而后严肃，生长时快乐而丧终时悲哀，是天的道理。而人取法于天，天是这样的，而又无处不在，就好像人自身一样。国君处在可以生杀的权位上，与天一起掌握世间变化的趋势，而万物没有不与天的变化相适应的。天地的变化就好像四时，所喜欢的就是暖气，有利于民众生育；所厌恶的就是清气，使民众受到杀戮。快乐就成为暑气，所以民众得以长养；愤怒则是寒气，所以民众会因此而闭塞。国君以自己的喜怒好恶来改变民风，而天以暖清寒暑四气来化育草木，喜怒的时机合适，就会有好年，随意乱为不能应时而动，就会有不好的年份，因为天、地、人是统一在一起的。国君的好恶喜怒，是天的暖清寒暑，如果不能做到时机合适，本该有暑气却表现寒气，本该有寒气却表现暑气，这必带来坏的年份。国君应该欢乐的时候却发怒，应该发怒的时候却又欢喜，这必会带来社会的动乱。所以国君的最大职责在于谨慎退藏而禁止敛财，使好恶喜怒都能够正当地产生，就好像暖清寒暑四气必到一定的时候才能出现一样。国君把握好这一点不使之丧失，使自己的好恶喜怒不出现过错，就好像春夏秋冬没有出错过一样，就可以称之为与天贯通了。深藏这四气而不使它们胡乱产生，这就可以说是天道了。

天容第四十五

[题解]

天容指天的容仪,也即天道向人显现的各种自然现象。天道有自己的规律,变化有常。君主要把自己的喜怒和天道结合起来,仔细观察天容,认真体会、效法它,把其中的道理用在治国上面。

天之道,有序而时①,有度而节,变而有常②,反而有相奉③,微而至远,踔而致精,一而少积蓄④,广而实,虚而盈。圣人视天而行,是故其禁而审好恶喜怒之处也,欲合诸天之非其时,不出暖清寒暑也;其告之以政令而化风之清微也,欲合诸天之颠倒其一而以成岁也;其羞浅末华虚而贵敦厚忠信也,欲合诸天之默然不言而功德积成也;其不阿党偏私而美泛爱兼利也⑤,欲合诸天之所以成物者少霜而多露也。其内自省以是而外显,不可以不时,人主有喜怒,不可以不时。可亦为时,时亦为义,喜怒以类合,其理一也。故义不义者,时之合类也,而喜怒乃寒暑之别气也。

[注释]

①时:指四季。②常:规律。③反:指春与秋反、夏与冬彼此相反。奉:帮助。④踔(chuō):高远。一:指阴阳不能同时出现,只能出现一种。⑤阿:

迎合，奉承。党：同伙。

[译文]

　　天道的规律，有顺序而不违四季，有法度又有节制，有变化又有常规，相反又相成，微妙而能达到深远，高超而能达到精微，阴阳只能在同一时间出现一种，广大而且充实，虚空却很盈满。圣人根据上天的旨意而行动，因此他克制情绪而详细审察喜好、厌恶、高兴、发怒的原因，想要跟上天不合乎四时就不显露暖、清、寒、暑的美德相合；他用政令告诫人们，并且教化达到了细微之处，想要跟上天从不颠倒任一时序的美德相合；他以浅薄、虚华为耻辱而重视敦厚、忠诚、信用，想要跟上天从不言说而默默积成功业的美德相合；他不奉承偏袒同党而以广泛施爱、普遍施利为美，想要跟上天的少下寒霜、多降雨露以成就万物的美德相合。他发自内心省察，并由此向外部显露，不可以不合时宜，君主有喜怒，不可以不合适宜地发作出来。适宜也要符合时机，选择时机就是义，喜怒与同类的事物相合，这个道理是一样的。所以义与不义，与时机合适与否相类，而喜怒实际上就是寒暑的另一种气造成的。

天辨在人第四十六

[题解]

　　天与人是类似的,天为人之本,但是天具备人的性情;人的性情也可以天地自然之道来说明(如喜怒哀乐之情与春夏秋冬之气的关系)。同时天的德性也只有人才能辨别、体会它。天子的一举一动都应该仿效天地,并以此为臣民树立榜样。

　　难者①曰:"阴阳之会②,一岁再遇,遇于南方者以中夏,遇于北方者以中冬。冬,丧物之气也,则其会于是何?""如金木水火各奉其主,以从阴阳,相与一力而并功。其实非独阴阳也,然而阴阳因之以起,助其所主。故少阳因木而起,助春之生也;太阳因火而起,助夏之养也;少阴因金而起,助秋之成也;太阴因水而起,助冬之藏也。阴虽与水并气而合冬,其实不同,故水独有丧而阴不与焉。是以阴阳会于中冬者,非其丧也。春爱志③也,夏乐志也,秋严志也,冬哀志也。故爱而有严,乐而有哀,四时之则也。喜怒之祸,哀乐之义,不独在人,亦在于天;而春夏之阳,秋冬之阴,不独在天,亦在于人。人无春气,何以博爱而容众?人无秋气,何以立严而成功?人无夏气,何以盛养而乐生?人无冬气,何以哀死而恤丧?天无喜气,亦何以暖而春生育？天无怒气，亦何以清而秋杀就④？天无乐气，亦何以疏阳而夏养长？天无哀气，亦何以激阴而冬闭藏？故曰：天乃有喜怒哀乐之行，人亦有春秋冬夏之气者，合类之谓也。匹夫虽贱，而可以见德刑之用矣。是故阴阳之行，终各六月，远近同度⑤，而所在异处。阴之行，春居东方，秋居西方，夏居空右，冬居空左，夏居空下，冬居空上，此阴之常处也；阳之行，春居上，冬居下，此阳之常处也。阴终岁四移，而阳常居实，非亲阳而疏阴，任德而远刑与？天之志，常置阴空处，稍取之以为助。故刑者德之辅，阴者阳之助也，阳者岁之主也。天下之昆虫随阳而出入，天下之草木随阳而生落，天下之三王⑥随阳而改正，天下之尊卑随阳而序位。幼者居阳之所少，老者居阳之所老，贵者居阳之所盛，贱者居阳之所衰。藏者，言其不得当阳。不当阳者，臣子是也，当阳者，君父是也。故人主南面，以阳为位也。阳贵而阴贱，天之制也。礼之尚右⑦，非尚阴也，敬老阳而尊成功也。"

[注释]

①难者：指问难之人。②阴阳之会：阴阳交会。③志：心志。④就：读为"啬"，与"杀"同义。⑤度：标准。⑥三王：指夏禹、商汤与周文王。⑦礼之尚右：汉代以右为尊，因此礼制尊尚右位。

[译文]

问难者说："阴阳的交会，一年两次，在南方相遇的就是仲夏。在北方相遇的就是仲冬。冬天是万物衰亡之季，那么在冬天相会是怎样的呢？"（我回答说:)"如同金木水火各自代表相应的季节，都顺从阴阳之道，一起发挥它们的功用。其实并不仅仅是阴阳之用，然而阴阳因它而起，帮助其发挥作用。因此，如少阳，就是因木而起，帮助春天万物出生的；太阳，就是因火而起，帮助夏天万物成长的；少阴，就是因金而起，帮助万物成熟的；太阴，就是因水而起，帮助万物闭藏的。阴虽然与水合并气而成为冬天，其实二者是不同的。水有所丧而阴并没有所失。阴阳会于仲冬,并非有所丧失。春天是爱的心志,夏天是乐的心志,秋天是威严的心志,冬天是悲哀的心志。因此爱而又有威严,乐而又有悲哀,这是四时的法则。喜或怒的灾祸,哀或乐的大义,不仅仅在于人,也在于天。而春夏天的阳气、秋冬天的阴气,也不仅仅在于人,而在于天。人若没有春天之气,如何做到博爱而宽容?人若没有秋天之气,何以做到立威严而成功?人若没有夏天之气,何以做到养生?人若没有冬天之气,何以哀悼死者而吊问丧事?天如果没有喜之气,何以春天温暖而生育万物?天没有怒气,何以冬天清冷而万物肃杀?天如果没有乐气,何以能疏通阳气而在夏天使万物成长?天若没有哀气,何以能够在冬天使万物闭藏?因此说:天有喜怒哀乐之气,人也有春秋冬夏之气,这是合于一类而相通的。普通人也知道德、刑之用。因此阴、阳的运行,各自以六月为终,远近同一标准,而所在的位置不同。阴气运行之时,春天居于东方,秋天居于西方,夏天居于空右,冬天居于空左,夏居于空下,冬居于空上,这是阴气运行的常有位置。阳气运行之时,春天居于上位,冬天居于下位,这是阳气的常有位置。阴气在一年中四次移动位置,而阳气却总是居于不变的实处,这难道不是天亲近阳而疏远阴,重视德而远离刑罚的证明吗?天的意志,常将阴置于空处,然后在需要的时候才稍稍以阴为阳的辅助。因此刑罚是德政的辅助,阴是阳的辅助,阳是年岁的主宰。天下的昆虫跟随阳气而生死,天下的草木跟随阳气而生长和凋落,天下之三王(夏禹、商汤、周文王)跟随阳气而改正朔,天下之尊卑次序跟随阳气而定,年纪小的人居于阳气少的地方,年老的人居于阳气老的地方,尊贵者居于阳气盛的地方,卑贱者居于阳气衰微的地方,闭藏的意思是不能面对阳气,不能面对阳气的人,这就是臣与子。可以面对阳气的人,就是君与父。因此人主的座位就是面南背北,这是以阳为位,阳尊贵而阴低贱,这是上天定的制度。礼节里面以右为尊,并不是尊尚阴,而是敬老阳而尊尚成功的意思。"

卷十二

阴阳终始第四十八

[题解]

天道的运行是终而复始，由阴至阳，再由阳反阴。因此一年中有冬至、夏至的划分。冬至为阴气盛极之时，其后阳气就开始增长，到夏至时候达到最高点，此后阳气渐消而阴气日增。阴阳的消长是天道自然，年年都是如此。

天之道，终而复始。故北方者，天之所终始也，阴阳之所合别也。冬至之后，阴俛①而西入，阳仰而东出，出入之处常相反也。多少调和之适，常相顺也。有多而无溢，有少而无绝。春夏阳多而阴少，秋冬阳少而阴多，多少无常，未尝不分而相散也。以出入相损益，以多少相溉济②也。多胜少者倍入。入者损一，而出者益二。天所起一，动而再倍，常乘反衡再登之势，以就同类，与之相报，故其气相侠③，而以变化相输也。春秋之中，阴阳之气俱相并④也。中春以生，中秋以杀。由此见之，天之所起其气积，天之所废其气随。故至春少阳东出就木，与之俱生；至夏太阳南出就火，与之俱煖⑤。此非各就其类，而与之相起与？少阳就木，太阳就火，火木相称，各就其正。此非正其伦与？至于秋时，少阴兴而不得以秋从金，从金而伤火功，虽不得以从金，亦以秋出于东方，俛其处而适其事，以成岁功。此非权与？

阴之行，固常居虚，而不得居实．至于冬而止空虚，太阳⑥乃得北就其类，而与水起寒。是故天之道有伦、有经、有权。

[注释]

①俛：压抑，减少。②溉：滋润。济：接济。③侠：同"挟"，通彻。④伉：匹敌。⑤煖：同"暖"。⑥太阳：当作"太阴"。阴阳家将阴阳二气各分少、太两种，分别为少阳、太阳、少阴、太阴，分别配春、夏、秋、冬。依文意此处当为太阴。

[译文]

天道的规律就是终而复始。所以北方就是天道开始与结束的地方，是阴阳二气会合与分别之处。冬至之后，阴气渐渐减少并向西隐入，而阳气则渐渐增多而向东出现，出现和隐入的地方正好相反，两者差别的程度又能保持一致。有时多而又不过剩，有时少而又不断绝。春夏两季阳气多而阴气少，秋冬两季阴气多而阳气少，多少虽然不定，但从来不互相分散，总是根据对方增减的多少而进行互助。多胜少的就要增加两倍来进行补助。隐入的减少一倍，出现的就要增加两倍。上天如果出现什么，一经发动就是两倍的气，常乘着（就像人登车时）从后面一跃而上那样的气势，来接近同类，互通有无。因此阴阳二气是相通的，并以变化相互输送。春秋两季阴阳二气是互相匹敌的，在春分时候发生，在秋分的时候结束。由此可知，上天积极有为时阳气就积聚，而上天消极无为时阴气就相应积聚。所以春季的时候，少阳之气就从东方接近木而与木一起生长；夏季的时候，太阳之气就从南方接近火而与火一起发出暖热。这难道不是各自接近同类而与它一起发生吗？少阳接近木，太阳接近火，火木彼此相称，各自接近正确的位置，这难道不是匡正它们的次序吗？到秋季，少阴之气兴起但又不能使秋从于金，若从于金就会伤害火的功用，虽然不能够从于金，也因秋天是从东方显现，俯身居于其地而适应自己，以完成年岁的功用。这不正是变通吗？阴气运行，必然常常居于空虚而不得实位，到达冬季便停止在空虚的位置，太阴之气便向北接近它的同类水，而与水一起产生寒冷。所以，天道有次序，有准则，有变通。

暖燠常多第五十二

[题解]

　　天道有阴有阳，有寒有暖，阴阳、寒暖各有其功用，都是为了万物的生长。天地之间有时会有非常情况发生，出现灾异，比如过寒或过暖，这是因为世道之变导致天道的运行不规律。

　　天之道，出阳为暖以生之，出阴为清以成之。是故非熏①也不能有育，非漂②也不能有熟，岁之精也。知心③而不省熏与漂孰多者，用之必与天戾④。与天戾，虽劳不成。是⑤自正月至于十月，而天之功毕。计其间者，阴与阳各居几何？熏与漂其日孰多？距物之初生，至其毕成，露与霜其下孰倍？故从中春至于秋，气温柔和调。及季秋九月，阴乃始多于阳，天于是时出漂下霜。出漂下霜，而天降物固已皆成矣。故九月者，天之功大究⑥于是月也，十月而悉毕。故案⑦其迹，数其实，清漂之日少少耳。功已毕成之后，阴乃大出。天之成功也，少阴与而太阴不与，少阴在内而太阴在外。故霜加于物，而雪加于空，空者亶⑧地而已，不逮⑨物也。功已毕成之后，物未复生之前，太阴之所当出也。虽曰阴，亦以太阳资化其位，而不知所受之。故圣主在上位，天覆地载，风令雨施。雨施者，布德均也；风令者，言令直也。《诗》云:"不识不知,顺帝之则。"言弗能知识,而效天之所为云尔。禹水汤旱,非常经也,适遭世气之变,而阴阳失平。尧视民如子,民视尧如父母。《尚书》曰:"二十有八载,放勋乃殂落,百姓如丧考妣。四海之内,阒密八音三年⑩。"三年阳气厌⑪于阴,阴气大兴,此禹所以有水名也。桀,天下之残贼也;汤,天下之盛德也。天下除残贼而得盛德大善者再,是重阳也,故汤有旱之名。皆适遭之变,非禹汤之过。毋以适遭之变疑平生之常,则所守不失,则正道益明。

[注释]

①熏:和暖。②溧:同"凓",寒冷。③知心:苏舆注:"疑作治心。"④戾:背离,违背。⑤是:卢文弨注:"是,疑作衍字。"⑥究:穷尽。⑦案:考察。⑧亶(dàn):卢文弨注:"亶,与但同。"⑨逮:涉及。⑩阒密:停止。八音:指金、石、土、革、丝、木、匏、竹八类,这里泛指乐器、音乐。⑪厌:同"压"。

[译文]

上天的规律,是阳气上升带来和暖并促使万物生长,阴气出现带来清爽并促使万物成熟。因此没有和暖也就不能有万物的生育,没有寒冷也就不能有万物的成熟,这就是年岁的精气。若修治内心而不知道省察和暖与寒冷哪一个更多一些,采用它一定会与上天相背离。与上天相背离,即使辛劳也不能成功。从正月到十月,上天的功业完成。考虑这中间,阴气与阳气各自占据多少,和暖与寒冷它们的时日哪一个更多?从万物的刚刚出生,到达它的成熟,雨露和寒霜它们哪一种加倍多?所以从中春到秋季,气温和暖调和。到晚秋九月,阴气才开始多于阳气,上天在这个时候出现寒冷、降下寒霜,而上天所降生的万物就已经成熟了。因此九月,是上天的功绩大部分完成的月份,到十月便都已完成。因此考察它的踪迹,计量它的事实,清爽、寒冷交会的时间已经很少了。功绩已经完成后，阴气才全部出现。上天成就功业，初始的阴气出现而极盛的阳气不出现，初始的阴气在内部而极盛的阳气在外部。所以寒霜降落在万物上面，而雪降落在空地上面，空的只是大地罢了，不涉及万物。功绩已全部完成后，万物没有重新生出之前，极盛的阴气应该出现了。虽说是叫做阴气，这也要借助极盛的阳气不断影响变化自己的位置，却不知道是受谁的影响。所以圣明的君主在君上之位，如同上天覆盖，大地承载，大风驱使，雨水施与。雨水施与，分布恩德均匀；大风驱使，是说让他正直。《诗经》上说："不识古，不知今，只知道效仿上天的作为去做。"大禹时代发生大水，商汤时代发生大旱，不是正常的规律，是恰巧遭遇社会风气的变化，而导致阴阳二气失去平衡。尧对待百姓如同对待自己的孩子一样，百姓对待尧如同对待自己的父母一样。《尚书》上说："历经二十八年，尧才死去。百姓好比丧失了父母一样。普天之下，停止音乐、娱乐三年。"三年之中阳气被阴气压制，阴气盛行，这就是大禹所以有治水之名的缘故。夏桀，是天下人轻视的暴君；商汤，是天下人认为有盛德的贤君。天下铲除贼寇并得到有盛德的贤君两位，引起阳气过重，因此商汤时候发生了大旱。大禹、商汤都是正巧遭遇这种变故，不是大禹、商汤的过错。不要用偶然的变化来怀疑平生所遵守的正常规律，那么所持守的立场就不会失掉，正确的原则就会越来越彰显。

基义第五十三

[题解]

万物皆有匹对，纯粹孤立的事物是不存在的。对立的事物之间也互相依赖、交融，你中有我，我中也有你。对立的双方虽然也有主次之分，但贵在各尽其职，而不要与对方争夺地位。君与臣的关系，父子、夫妇的关系都要这样。

凡物必有合①。合必有上，必有下，必有左，必有右，必有前，必有后，必有表，必有里。有美必有恶，有顺必有逆，有喜必有怒，有寒必有暑，有昼必有夜，此皆其合也。阴者阳之合，妻者夫之合，子者父之合，臣者君之合。物莫无合，而合各有阴阳。阳兼于阴，阴兼于阳，夫兼于妻，妻兼于夫，父兼于子，子兼于父，君兼于臣，臣兼于君。君臣、父子、夫妇之义，皆取诸阴阳之道。君为阳，臣为阴；父为阳，子为阴；夫为阳，妻为阴。阴道无所独行，其始也不得专起，其终也不得分功，有所兼之义。是故臣兼功于君，子兼功于父，妻兼功于夫，阴兼功于阳，地兼功于天。举而上者，抑而下也；有屏而左也，有引而右也；有亲而任也，有疏而远也；有欲日益也，有欲日损也，益其用而损其妨。有时损少而益多，有时损多而益少。少而不至绝，多而不至溢。阴阳二物，终岁各壹出。壹其出，远近同度而不同意。阳之出也，常县于前而任事；阴之出也，常县于后而守空处②。此见天之亲阳而疏阴，任德而不任刑也。是故仁义制度之数，尽取之天。天为君而覆露之，地为臣而持载之；阳为夫而生之，阴为妇而助之；春为父而生之，夏为子而养之，秋为死而棺之，冬为痛而丧之。王道之三纲，可求于天。天出阳，为暖以生之；地出阴，为清以成之。不暖不生，不清不成。然而计其多少之分，则暖暑居百而清寒居一。德教之与刑罚犹此也。故圣人多其爱而少其严，厚其德而简其刑，以此配天。天之大数必有十旬③。旬，天地之数，十而毕举；旬，生长之功，十而毕成。天之气徐，乍寒乍暑④，故寒不冻，暑不喝⑤，以其有余徐来，不暴卒也。《易》曰："履霜坚冰"，盖言逊也。⑥然则上坚不踰等，果是天之所为，弗作而成也。人之所为，亦当弗作而极也。凡有兴者，稍稍上之，以逊顺往，使人心说而安之，无使人心恐。故曰：君子以人治人，懂能愿。此之谓也。圣人之道，同诸天地，荡诸四海，变易习俗。

[注释]

①合：相应，相对。②空处：苏舆："当作空虚。"③旬：疑为衍字。④卢文弨："（乍寒乍暑）句上当有不字。"⑤喝（yē）：暑热，中暑。⑥履霜坚冰：出自《周易》坤卦，意思是从降霜到冰冻，天气渐渐寒冷，有循序渐进的意思。逊：顺。

[译文]

万物一定有与它相匹配的。相配，必有上，必有下，必有左，必有右，必有前，必有后，必有表，必有里。有美就必有恶，有顺就必有逆，有喜必有怒，有寒必定有暑，有昼必定有夜，这些都是它们的匹对。阴气是阳气的匹对，妻是夫的匹对，子是父的匹对，臣是君的匹对。万物没有不与它匹配的，而相合之物则必有一阴一阳。阳气兼有阴气，阴气兼有阳气；丈夫兼有妻子，妻子兼有丈夫；父亲兼有儿子，儿子兼有父亲；国君兼有臣下，臣下兼有国君。君臣、父子、夫妇的意义，都取法于阴阳的道理。国君为阳，臣下为阴；父亲为阳，儿子为阴；丈夫为阳，妻子为阴。阴气的法则没有独自行为的，它的开始不能单独产生，它的结束也不能分得功劳，只是有兼得的含义。所以臣下兼有君主的功绩，儿子兼有父亲的功绩，妻子兼有丈夫的功绩，阴气兼有阳气的功绩，大地兼有上天的功绩。举起就向上，按压就向下，有屏障就向左，有牵引就向右，有亲近的就任用，有疏远的就离开。有的需要不断增益，有的需要不断减损，增益它的功用而减少它的损害。有时候减损少而增益多，有时候减损多而增益少。少但不至于灭绝，多但不至于溢出。阴阳二物，一年里都各自出现，出现其中的一种，远近的尺度相同意义却不同。阳气出现，常常位于前面且担当大任；阴气出现，常常位于后面而保守空虚。由此可见上天亲近阳气而疏远阴气，使用德行而不使用刑法。所以仁义制度的法则，都是取法于上天的。上天为国君庇护滋润，大地为臣下操持承载；阳气为男子长养，阴气为女子扶助；春天为父亲而生长，夏天为儿子而养成，秋天为死亡而入殓，冬天为痛惜而伤悼。王道的三纲，可求得于上天。上天滋生阳气为温暖的以生长万物，大地滋生阴气为清爽的以成熟万物。不温暖就不能生长，不清爽就不能成熟。然而计算它们多少的分别，则温暖暑热是清爽寒冷的百倍。德行教化与刑罚的比例也应如此。所以圣人多施与他的仁爱而减少苛责，推崇恩德而减缓刑罚，以此来和上天相匹配。上天的气数，必定不超过十。这是天地的法则，到十就全部显现；这是成长的功绩，到十就全部完成。上天之气徐行缓慢，不会忽冷忽热，所以，严寒但不会冻结，炎热但不会伤暑，因为上天之气是徐行而至，不会突然终止。《易》说"履霜坚冰"，大概说的就是顺其自然。然则上天坚定且不超越次序，果真是天的作为，不用人为就可完成。人的所为，也应当是不作为而能达到极致。凡是出现的事物，逐渐提倡，顺应次序进行，使得人们内心愉悦安详，不让百姓内心惊慌。所以说，君子用人来治理人，谨慎而且诚实，就是这个意思。圣人的原则，和天地相同，涤荡四海，改变旧的风俗习惯。

卷十三

四时之副第五十五

[题解]

　　四时（春、夏、秋、冬）代表天道的生、养、杀、藏四个方面。表现在人事中，就是君主的庆、赏、罚、刑四种政策。四政与四时应该保持一致，不可颠倒错乱。《春秋》对于四政与四时不合的事进行了讥讽。

　　天之道，春暖以生，夏暑以养，秋清以杀，冬寒以藏。暖暑清寒，异气而同功，皆天之所以成岁①也。圣人副天之所行以为政，故以庆副暖而当春②，以赏副暑而当夏，以罚副清而当秋，以刑副寒而当冬。庆赏罚刑，异事而同功，皆王者之所以成德也。庆赏罚刑与春夏秋冬，以类相应也，如合符③。故曰王者配④天，谓其道。天有四时，王有四政，四政若四时，通类也，天人所同有也。庆为春，赏为夏，罚为秋，刑为冬。庆赏罚刑之不可不具也，如春夏秋冬不可不备也。庆赏罚刑，当其处⑤不可不发，若暖暑清寒，当其时不可不出也。庆赏罚刑各有正处，如春夏秋冬各有时也。四政者，不可以相干也，犹四时不可相干也。四政者，不可以易处也，犹四时不可易处也。故庆赏罚刑有不行于其正处者，《春秋》讥也。

[注释]

　　①成岁：丰年，成为一年。②副：符合，顺应。当：对等，相称。③合

符：即符信相合。古代以竹木或金石为符，上书文字，剖而为二，各执其一，合之为证。"合符"是古代的会盟信物制度。一般用竹、木、玉石等制成凭证，上刻文字，以此为结盟的信誓之物。④配：比并。⑤处：位置。

[译文]

天之道表现在春天温暖生成万物，夏天暑热生长万物，秋天清冷万物凋落，冬天寒冷万物隐匿。温暖、暑热、清爽、寒冷，不同的气候有着相同的功劳，它们都是上天用以成就一年时节的。圣人顺应上天的行为来治理政事，因此赐福符合温暖就当在春季，奖赏符合暑热适逢夏季，惩罚符合凄清当值秋季，刑杀符合寒冷对应着冬季。祝福、奖赏、惩罚、刑杀，不同的事情却有相同的功用，都是君王用来成就德行的办法。祝福、奖赏、惩罚、刑杀和春夏秋冬，因同类而相互应和，如同合符一般。所以说王者与天相匹配，这就是所谓的道。上天有春夏秋冬四季，君王有庆赏罚刑四政。四政犹如四季，它们是普遍和相通的，是上天和人类共同拥有的。赐福是春天，奖赏是夏天，惩罚是秋天，刑杀是冬天。赐福、奖赏、惩罚、刑杀不可以不具备，如同春夏秋冬不可不齐备。庆赏罚刑，正当它们的位置时不可以不发生，就像暖暑清寒，正当它们的时节不可以不出现；庆赏罚刑各有正确的位置，如同春夏秋冬各有它们的时节。庆赏刑罚，不可以相互牵涉，如同春夏秋冬不可以相互干扰；四政不可以改变位置，就像四时不可以改换时节。所以，实行庆赏奖罚时有不适当的，《春秋》就讥讽它。

人副天数第五十六

[题解]

　　此篇讲人与天的相似性。人的生命来自于天，因此与天非常相似。人的首、身、发、五官都分别与天象对应，人的骨骼数与一年中的天数一致，五脏符合五行，四肢符合四季，喜怒哀乐符合阴阳。简而言之，人就是天的副本而已。

　　天德施①，地德化②，人德义。天气上，地气下，人气在其间。春生夏长，百物以兴；秋杀冬收，百物以藏。故莫精于气③，莫富于地，莫神于天。天地之精所以生物者，莫贵于人。人受命乎天也，故超然有以倚④。物疢⑤疾莫能为仁义，唯人独能为仁义。物疢疾莫能偶⑥天地，唯人独能偶天地。人有三百六十节，偶天之数⑦也；形体骨肉，偶地之厚也。上有耳目聪明⑧，日月之象也；体有空窍理脉⑨，川谷之象也；心有哀乐喜怒，神气之类也。观人之体一，何⑩高物之甚，而类于天也。物旁折⑪取天之阴阳以生活耳，而人乃烂然⑫有其文理。是故凡物之形，莫不伏从旁折天地而行，人独题直立端尚正正当之。⑬是故所取天地少者，旁折之；所取天地多者，正当之。此见人之绝⑭于物而参天地。是故人之身，首妢而员⑮，象⑯天容也；发，象星辰也；耳目戾戾，象日月也；鼻口呼吸，象风气也；胸中达知，象神明也，腹胞⑰实虚，象百物也。百物者最近地，故要⑱以下，地也。天地之象，以要为带。颈⑲以上者，精神尊严，明天类之状也；颈而下者，丰厚卑辱，土壤之比也。足布而方，地形之象也。是故礼，带置绅⑳必直其颈，以别心也。带而上者尽为阳，带而下者尽为阴，各其分。阳，天气也；阴，地气也。故阴阳之动，使人足病，喉痹㉑起，则地气上为云雨，而象亦应之也。天地之符，阴阳之副，常设于身，身犹天也，数㉒与之相参，故命与之相连也。天以终岁之数，成人之身，故小节三百六十六，副日数也；大节十二分，副月数也；内有五藏，副五行数也；外有四肢，副四时数也；乍视乍瞑，副昼夜也；乍刚乍柔，副冬夏也；乍哀乍乐，副阴阳也；心有计虑，副度㉓数也；行有伦理，副天地也。此皆暗肤㉔著身，与人俱生，比而偶之弇合。于其可数也，副数；不可数者，副类。皆当同而副天，一也。是故陈其有形以著其无形者，拘㉕其可数以著其不可数者。以此言道之亦宜以类相应，犹其形也，以数相中㉖也。

[注释]

①德：道，德行。施：给予。②化：生，化育。③精：精粹。气：元气，孕化为天地的胚胎。苏舆："气者，元也，胚胎于天地之先。"④倚：卢文弨云："疑当从下文作高物二字。"⑤疢（chèn）：热病，亦泛指病。⑥偶：匹配。⑦偶天之数：《文子》云："天游四时五行九解，三百六十日。人亦复有四肢五脏九窍，三百六十节。"⑧聪明：视觉听觉灵敏。⑨空窍理脉：空窍，空穴。理脉，血管脉络。⑩何：何其，多么。⑪折：屈从，屈服。⑫烂然：光彩的样子。⑬题：即头。尚正：疑为衍字。⑭绝：过之，超过。⑮妾：当作"坴"，突起。员：同"圆"。⑯象：效法。⑰腹胞：肚子。⑱要：腰。⑲颈：当作"腰"。下同。⑳绅：古代士人束腰的大带子。㉑喉痹：喉部发炎。㉒数：经常，常常。㉓度：考虑，计算。㉔暗：苏舆："字疑误。"肤：卢文弨："他本作虑。"㉕拘：限。㉖中：合。

[译文]

上天的德行是给予，大地的德行是化育，人的德行是仁义。天之气在上，地之气在下，人之气在天地之间。春天出生，夏天生长，万物得以兴旺；秋天凋落，冬天收藏，万物得以保存。所以，没有什么比元气更精粹，没有什么比地更富足，没有什么比天更神奇，天地之精华所产生的万物，没有什么比人更高贵。人承受天命，所以超然有高出万物之处；万物的缺陷在于不能施行仁义，只有人可以施行仁义；万物的短处在于不能和天相匹配，只有人可以与天地相匹配。人有三百六十个骨节，和上天的数目相配；形体骨肉，和大地的深厚相配；上有灵敏的听觉视觉，是太阳和月亮的象征；身体有孔窍血脉，是河流山谷的象征；心有喜怒哀乐，与神奇的元气同类。细看人的身体，高出万物何其之甚，与天同类。万物只是从旁侧吸收阴阳二气得以产生和存在罢了，而人则光彩璀璨有自己的条理，所以万物的形态，莫不是伏地或侧身行走，唯独只有人抬头挺立端正，直面天地，侧身行走的（动物）取得天地之气就少，直面正对天地的（人）取得天地之气就多，这表现了人超越万物，与天地相匹配。所以人的身体，头部突出而浑圆，效法天的容貌；头发效法星辰；耳目分明，效法日月；口鼻呼吸，效法风和气；胸中有通达之智，效法神灵的英明；腹中的充实和空虚，效法万物；万物是最接近地的，所以腰部以下象征着地。天地的象征，以腰为分界。腰部以上的，精气庄重威严，是和上天同类的形态；腰部以下，丰厚卑微，与土地相比并；脚铺开为方形，是地面形状的象征。所以按照礼仪，腰带上配置绅带，一定要使其颈部挺直，以分别内心。腰部以上的都为阳，腰部以下的都为阴，各有它们的分别。阳为上天之气，阴为地中之气。所以阴阳的发动，使人的脚得病，喉咙发炎，大地之气上升化为云和雨，人体的表象也与之呼应。天地的符契，阴阳的匹配，在人的身体上常常有表现，身体如同上天一样，数目和上天相匹配，所以命相也和天地相关联。上天以一年的数目造就人的身体，所以小的骨节有三百六十六个，和一年中的日数相符；大的骨节有十二个，和一年中的月数相符；体内有五脏，和五行数相称；体外有四肢，和四季数相称；忽而睁开忽而闭上眼睛，符合白天和黑夜；忽而刚健忽而柔和，符合冬季和夏季；忽而哀痛忽而快乐，符合阴阳二气；心中有计议谋虑，符合上天的谋算计划；行为有人伦道德，符合天尊地卑的道理。这些都暗自附在人身上，生来就有的，和天地比附并吻合，其中可以计数的，符合上天的数目；不可以计数的，符合上天的类别。它们都是一样比配上天的，天和人是同一的。所以陈列有形的东西以显示无形的东西，取得可计数的以显露其不可计数的。以此说来，帝王之道也应当是同类相应，犹如人的身体，以数目和上天相符合。

同类相动第五十七

[题解]

万物之间存在着密切的联系，天人合一，人与万物、万物之间也合为一。同类的事物之间有互相感应的情况。属阴的事物之间互相感应，属阳的事物之间也互相感应，这些感应都是有迹可寻的。

今平地注水，去燥就湿，均薪施火，去湿就燥。百物去其所与异，而从其所与同，故气同则会，声比则应，其验皦然①也。试调琴瑟而错之，鼓其宫②则他宫应之，鼓其商而他商应之，五音比而自鸣，非有神，其数③然也。美事召美类，恶事召恶类，类之相应而起也。如马鸣则马应之，牛鸣则牛应之。帝王之将兴也，其美祥亦先见；其将亡也，妖孽④亦先见。物故⑤以类相召也，故以龙致雨，以扇逐暑，军之所处以棘楚⑥。美恶皆有从来，以为命，莫知其处所。天将阴雨，人之病故⑦为之先动，是阴相应而起也。天将欲阴雨，又使人欲睡卧者，阴气也。有忧亦使人卧者，是阴相求也；有喜者，使人不欲卧者，是阳相索也。水得夜益长数分，东风⑧而酒湛溢，病者至夜而疾益甚，鸡至几明，皆鸣而相薄⑨，其气益精。故阳益阳而阴益阴，阴阳之气因⑩可以类相益损也。天有阴阳，人亦有阴阳。天地之阴气起，而人之阴气应之而起，人之阴气起，而天地之阴气亦宜应之而起，其道一也。明于此者，欲致雨则动阴以起阴，欲止雨则动阳以起阳，故致雨非神也。而疑于神者，其理微妙也。非独阴阳之气可以类进退也，虽不祥祸福所从生，亦由是也。无非已先起之，而物以类应之而动者也。故聪明圣神，内视反听[11]，言为明圣，内视反听[12]，故独明圣者知其本心皆在此耳。故琴瑟报弹其宫，他宫自鸣而应之，此物之以类动者也。其动以声而无形，人不见其动之形，则谓之自鸣也，又相动无形，则谓之自然，其实非自然也，有使之然者矣。物固有实使之，其使之无形。《尚书大传》言："周将兴之时，有大赤鸟衔谷之种，而集王屋之上者，武王喜，诸大夫皆喜。周公曰：'茂哉！茂哉！天之见此以劝之也。'"恐恃之[13]。

[注释]

①皦（jiǎo）然：洁白光亮的样子。②宫：五音之一。下句"商"同。③数：规律。④妖孽：怪异反常的事物，灾异。⑤故：固。⑥棘楚：荆棘。⑦故：痼。⑧东风：苏舆："'东风'下当有至字。"⑨相薄：相迫近，相搏击。⑩因：固。⑪内视反听：《史记·商鞅列传》："反听之谓聪，内视之谓明。"⑫言为明圣，内视反听：苏舆："八字疑有误。"⑬恐恃之：苏舆："文疑有误字。"

[译文]

向平地上浇水，水会避开干燥的地方而流向潮湿的地方；均匀地铺好干柴然后点火，火会避开湿润的地方而燃向干燥的地方。万物都会远离与自己不同的种类，跟随与自己相同的类别。所以气相同就会和，声音相接近就呼应，这个效验是十分明显的。试着调好琴瑟并弹奏，敲它的宫调其他的宫调就会呼应，敲商调则其他的商调就会呼应，五音相近就可以自己鸣奏，不是有什么鬼神，它的规律即是如此。美好的事物招来美好的同类，丑恶的事物招来丑恶的同类，这是同类相互呼应而产生的，如同马鸣就会有马呼应，牛叫就会有牛呼应。帝王将要出现，他的美好的征兆也会先显现；帝王将要亡故，则反常的灾异也会先出现。事物本来就是同类相呼应的。所以用龙来招雨，用扇子来驱除酷暑，军队驻扎的地方会生有荆棘。美丑是非都有来源，人们以为是天命，这是不知道它的处所。天将要阴天下雨，人的病痛瘤疾在下雨之前就已显露，是阴气相互呼应产生的；天将要下雨，又让人想要睡觉躺卧的，是因为阴气；有忧虑，也使人想要卧床的，是阴气的要求；有喜事，使人不想卧床，是阳气的要求；水在夜里会增溢一些，东风到来清酒就盈满；生病的人到了夜间，病痛会更加严重；鸡到黎明时都啼鸣起来，叫声此起彼伏，这种阳气就更加纯粹。所以阳气增益阳气，阴气增益阴气，阴阳之气可以因类别而相互增益减损。天有阴阳二气，人也有阴阳二气。天地的阴气出现，人的阴气呼应它而出现，人的阴气出现，天地之阴气也会回应它而出现，它们的道理是一样的。明白这个道理的人，想要招雨就发动阴气以产生阴气，想要制止下雨就发动阳气以产生阳气，所以说招雨不是因为鬼神，看起来似乎是因为鬼神，是由于其中的道理极为精妙。不仅阴阳之气可以类推前后，就连吉凶祸福的产生，也是这样的。无非是自己先起头，万物以同类相应而发生，所以机敏睿智的圣人神明，反省自己的言行，听取别人的意见，言论明白事理通达，反省纳善，因此只有明达圣哲的人知道自己的天性皆在于此。弹奏琴瑟的宫调，别的宫调自己鸣奏来呼应它，这是万物因同类而相应，这种呼应是用声音而没有形迹的，人们看不到它的行迹，就称为自鸣。又因为相互作用而不露行迹，就说它是自己这样的，其实不是它自己这样，是有别物致使它这样。每一事物都会有同类事物驱动它，这是无踪迹的。《尚书大传》说："周朝将要兴盛的时候，有一只红色的大鸟，衔着谷物的种子，栖息在周王房屋的上面，周武王很高兴，诸位大夫也都很高兴。周公说：'振作呀！振作呀！上天显现这些是为了鼓励我们。'"这是说要有戒惧之心。

五行相生第五十八

[题解]

此篇讲五行与官职的关系。五行之间相生，五种官职之间的关系也相应地具有互相供给的特点。木的代表是司农，火的代表是司马，土的代表是司营，金的代表是司徒，水的代表是司寇。木生火，因此司农供给司马；火生土，因此司马供给司营；土生金，因此司营供给司徒；金生水，因此司徒供给司寇；水生木，因此司寇供给司农。

天地之气，合而为一，分为阴阳，判为四时，列为五行。行者，行①也，其行不同，故谓之五行。五行者，五官也，比相生而间相胜也。故为治，逆之则乱，顺之则治。

东方者木，农之本。司农②尚仁，进经术之士，道③之以帝王之路，将顺其美，匡捄其恶。执规而生，至温润下，知地形肥硗美恶，立事生则，因地之宜，召公是也。亲入南亩④之中，观民垦草发淄，耕种五谷，积蓄有余，家给人足，仓库充实。司马实谷。司马，本朝也。本朝者火也，故曰木生火。

南方者火也，本朝。司马尚智，进贤圣之士，上知天文，其形兆未见，其萌芽未生，昭然独见存亡之机，得失之要，治乱之源，豫⑤禁未然之前，执矩而长，至忠厚仁，辅翼其君，周公是也。成王幼弱，周公相⑥，诛管叔蔡叔，以定天下。天下既宁以安。君官者，司营也。司营者土也，故曰火生土。

中央者土，君官也。司营尚信，卑身贱体，夙兴夜寐，称述往古，以厉主意。明见成败，微谏纳善，防灭其恶，绝源塞隟⑦，执绳⑧而制四方，至忠厚信，以事其君，据义割恩，太公是也。应天因时之化，威武强御以成。大理者，司徒也。司徒者金也，故曰土生金。

西方者金，大理司徒也。司徒尚义，臣死君，而众人死父。亲有尊卑，位有上下，各死其事，事不踰矩，执权⑨而伐。兵不苟克，取不苟得，义而后行，至廉而威，质直刚毅，子胥是也。伐有罪，讨不义，是以百姓附亲，边境安宁，寇贼不发，邑无狱讼，则亲安。执法者，司寇也。司寇者，水也，故曰金生水。

北方者水，执法司寇也。司寇尚礼，君臣有位，长幼有序，朝廷有爵，乡党以齿⑩，升降揖让，般伏拜谒，折旋中矩⑪，立则磬折⑫，拱则抱鼓，执衡⑬而藏，至清廉平，赂遗不受，请谒不听，据法听讼，无有所阿，孔子是也。为鲁司寇，断狱屯屯⑭，与众共之，不敢自专。是死者不恨，生者不怨，百工维时，以成器械。器械既成，以给司农。司农者，田官也。田官者木，故曰水生木。

[注释]

①行：品德，品行。②司农：上古时代负责教民稼穑的农官。③道：导。④南亩：指农田。⑤豫：预。⑥相：辅助，辅佐。⑦隟（xì）：同"隙"。⑧绳：标准，法则、法规。⑨权：《淮南子》："'执矩而治秋'，此'权'字误。"⑩齿：年龄。⑪折旋：曲行，古代行礼时的动作。中矩：合乎曲尺的标准。⑫磬折：磬通"磬"，古代乐器，用石或玉雕成。曲恭如磬，表示谦虚。⑬衡：凌曙云："《淮南子》'执权而治冬'，此衡字误。"⑭屯屯：恭谨忠恳的样子。

[译文]

天地之气，融合成为一体，分开之后就成为阳气和阴气，划分为四季，分为五行。行，就是品行的意思。品行不同，所以称之为五种品行。五行具有五种职能，为五官，临近的两行相互助长，间隔的两行相互克制。所以进行统治，违背五行就会动荡，顺从五行就会安定。

东方属木，是农业的根本。司农尊崇仁义，进荐精通经学的人，用帝王之道来引导国君，顺从君主正确的行为，纠正他的过失。执掌规圆以生长作物，到温暖湿润的时节下到民间，考察地物地貌的肥沃或贫瘠，好或不好，依据各地的具体情况，建功立业拟定法则，召公就是这样的人。他亲自下到农田之中，考察百姓开垦荒地的情况，耕耘种植五谷，积聚贮存剩余的粮食，粮仓军库都有富足。司马有充实的作物。司马是朝廷的官职，朝廷属火之性，因此说木能生火。

南方属火，是朝廷的属性。司马尊崇才智，进谏有才能和德行的人，上知天文，上天的征兆还没有出现，事物还没有开始发生，就能清楚地洞见事物存亡的关键，成败利弊的要点，安定动乱的源头，在还没有成为事实前就预先制止，执掌方矩以助长朝政，极为忠厚仁义，辅佐他的君主，周公就是这样。成王幼小，周公辅助他，惩戒管叔、蔡叔，平定了天下。天下就安宁无事了。官吏是司营，司营属土，所以说火生土。

中央属土，是君官。司营尊尚诚信，简约勤苦，早起晚睡，引证历史，来鼓励君主的意志。高明的识见事情的成功失败，婉约地进谏并接纳善言，防止恶行的发生，杜绝它产生的源头，堵塞它产生的漏洞，执掌法绳治理天下，极为忠厚诚信，用来服侍他的君主，依据大义弃绝私恩，太公就是这样的。顺应天命因循时代的变化，威力强大而成就王业。大理是司徒。司徒属金，所以说土生金。

　　西方属金，是大理司徒。司徒崇尚正义，臣子为国君效死，一般人为父亲而拼命。亲近有尊卑，地位有上下，各自为职位而尽力，做事不逾越规矩，掌握权力声讨征伐。不轻易发兵克敌，不随便获取战利品，理由正当才去行动，格外廉洁和威严，质朴正直刚强坚毅，伍子胥就是这样的人。讨伐有罪的，声讨不义的，所以百姓归依亲附，边境安宁，盗匪敌寇不出现，国内没有诉事讼案，人民亲近、安定。执掌法规的人是司寇。司寇属水，所以说金生水。

　　北方属水，是执掌法律的司寇。司寇崇尚仪礼，君臣有尊卑，长幼有顺序，朝廷有爵位高低，乡亲按年龄排序，上前后退、宾主相见的礼仪，屈身向下、拜访谒见，行礼时的动作都要合乎标准，站立时曲恭如磬，敛手如同抱鼓，执掌权衡而又隐匿自身，特别清廉公正，赠送的财物绝不接受，请求谒告绝不依从，依据法律听理诉讼，没有偏袒庇护之处，孔子就是这样的人。作为鲁国司寇，审理案件诚恳谨慎，和大家一起判决，不敢擅自专断。所以被处死的人不仇恨，活着的人也不怨愤，各种工匠都按时工作，从而制造出工具武器。器械完成之后，供给司农。司农是农官。农官属木，所以说水生木。

五行相胜第五十九

[题解]

此篇接着讲五行与官职的关系。上篇讲五行相生,这一篇讲五行相克。五种官职之间也像五行那样互相制约。金胜木,因此司徒可以制约司农;水胜火,因此司寇可以制约司马;木胜土,因此司农可以制约司营;火胜金,因此司马可以制约司徒;土胜水,因此司营可以制约司寇。

木者,司农也。司农为奸,朋党比周[①],以蔽主明,退匿贤士,绝灭公卿,教民奢侈,宾客交通,不劝田事,博戏斗鸡,走狗弄马,长幼无礼,大小相虏,并为寇贼,横恣绝理。司徒诛之,齐桓[②]是也。行霸任兵,侵蔡,蔡溃,遂伐楚,楚人降伏,以安中国。木者,君之官也。夫木者农也,农者民也,不顺如叛,则命司徒诛其率正矣,故曰金胜木。

火者,司马也。司马为谗,反言易辞,以谮[③]愬人,内离骨肉之亲,外疏忠臣,贤圣旋亡,谗邪日昌,鲁上大夫季孙是也。专权擅势,薄国威德,反以怠恶谮愬其贤臣,劫惑其君。孔子为鲁司寇,据义行法,季孙自消,堕费郈城,兵甲有差。夫火者,大朝,有邪谗荧惑其君,执法诛之。执法者水也,故曰水胜火。

土者,君之官也,其相司营。司营为神,主所为皆曰可,主所言皆曰善，谄顺主指④，听从为比。进主所善，以快主意，导主以邪，陷主不义。大为宫室，多为台榭，雕文刻镂，五色成光，赋敛无度，以夺民财，多发繇役，以夺民时，作事无极，以夺民力，百姓愁苦，叛去其国，楚灵王是也。作乾谿之台，三年不成，百姓罢弊而叛，及其身弑。夫土者，君之官也。君大奢侈，过度失礼，民叛矣。其民叛，其君穷矣。故曰木胜土。

金者，司徒也。司徒为贼，内得于君，外骄军士，专权擅势，诛杀无罪，侵伐暴虐，攻战妄取，令不行，禁不止，将率不亲，士卒不使，兵弱地削，令君有耻，则司马诛之，楚杀其司徒得臣是也。得臣数战破敌，内得于君，骄蹇不恤其下，卒不为使，当敌而弱，以危楚国，司马诛之。金者，司徒，司徒弱不能使士众，则司马诛之，故曰火胜金。

水者，司寇也。司寇为乱，足恭小谨，巧言令色，听谒受赂，阿党不平，慢令急诛，诛杀无罪，则司营诛之，营荡是也。为齐司寇。太公封于齐，问焉以治国之要，营荡对曰："任仁义而已。"太公曰："任仁义奈何？"营荡对曰："仁者爱人，义者尊老。"太公曰："爱人尊老奈何？"营荡对曰："爱人者，有子不食其力；尊老者，妻长而夫拜之。"太公曰："寡人欲以仁义治齐，今子以仁义乱齐，寡人立而诛之，以定齐国。"夫水者，执法司寇也。执法附党不平，依法刑人，则司营诛之，故曰土胜水。

[注释]

①朋党比周：朋党指同类的人结成团伙，比周是指与恶人结成团伙。②齐桓：当指齐桓公的相，即管仲。③谮：诬陷。④谄顺主指：奉承顺从国君的旨意。

[译文]

司农属五行之木。如果司农做了坏事，结党营私，就会蒙蔽国君的视听，使有贤能的人隐退，使公卿绝灭，百姓变得奢侈，使宾客私相来往，不勉励百姓从事耕作而爱好赌博、斗鸡、赛狗、跑马，长幼没有礼数，大小之间互相掳掠，一起成为贼寇，放纵蛮横，灭绝事理。司徒诛责他们，齐桓公的相管仲就是这样的人。凭借着军事实力实行霸道，攻打蔡国，结果蔡国溃败，又攻打楚国，楚国也降伏，中原因此得到了安定。木是国君之相的官职。木代表了农业，从事农业的都是老百姓，不顺从就如同叛逆一般，就应该命令司徒问罪于他们的首领。这就叫做金胜木。

司马属五行之火。如果司马制造谗言，用坏话来诬陷别人，那么对内则会离间骨肉的亲情，对外则会疏远忠臣。于是贤士就会逃走，而谗言坏事就会一天天的增加，鲁国的上大夫季孙氏就是这样的人。独揽大权和朝政，使国家的权威受损，反而构陷贤臣，胁迫迷惑国君。孔子担任鲁国司寇，按照义的要求来行使法令，季孙氏的力量就削弱了，自毁了费城、郈城，大夫按照等级拥有武备。火是朝廷所属之性，有人惑乱本朝国君，司寇就应该用大法来诛灭他。执法的人就是水，所以说水胜火。

国君的官职属五行之土，他的国相是司营。司营是佞人，国君做任何事都赞成，国君所说的话都称善，阿谀奉承国君的想法，纵容、褊袒他的同党，进献国君喜欢的东西，使国君高兴，用坏话引导国君，使国君陷于不义之地。大规模地修建宫殿，造了很多台榭，并在建筑上雕刻花纹、镂空，使得建筑五光十色。赋敛没有限度，以便掠夺百姓的财物，过多地征发徭役，便使得百姓错过了务农的时节，做事没有极限，夺取了百姓的劳力。百姓愁苦，背离自己的国家，楚灵王就是这样的人。修造乾豁台，三年没有修成，百姓疲惫不堪而背叛楚灵王，直到灵王自己被杀。土是国君的官职，君主特别奢侈，过度失礼，百姓就背叛了。百姓背叛，他们的国君就困穷了。所以说木胜土。

司徒属五行之金。司徒肆意妄为，对内得势于君，在外面对军士骄横。独揽大权，屠杀无罪之民，对外侵伐别国，暴虐对待百姓，随意攻击强取，因此他的法令没有人执行，他的禁令也没有人遵守，将帅之间不团结，士卒之间不服从，结果军力越来越弱，领土被削弱，使国君受到羞辱，司马应该诛杀这样的司徒，楚国杀掉它的司徒得臣就是这样的例子。得臣好几次打败敌人，在国内得到君的信任，于是骄横不体恤部下，士兵不为他效命，面对强敌势单力薄，而使楚国遭受危险，于是司马诛杀了他。司徒属五行之金，如果司徒软弱，不能命令士兵，司马就可以诛灭他。所以说是火胜金。

　　司寇属五行之水。司寇作乱，表面谦恭，内心虚伪，说着巧妙的言辞，装出和善的态度，接受贿赂，偏袒私党，轻慢命令，只会诛杀无罪的人，司营惩处这种行为，营荡就是这样的人。营荡任齐国司寇。太公被封在齐国，向他问治国之大道，营荡回答道："使用仁义就可以了。"太公又说："使用仁义又会怎么样呢？"营荡回答道："仁就是爱人，义就是尊敬老人。"太公问："爱人、尊敬老人又会怎么样呢？"营荡回答道："爱人，就是不靠自己的儿子养活，尊敬老人，就是妻子年长丈夫也要向她行礼。"太公说："我想要用仁义来治理国家，可是你以仁义惑乱齐国，我现在就要杀了你，以安定齐国。"执法的司寇属五行之水。如果执法偏袒私党就不公平，利用刑法惩治人，司营就可以诛灭他，所以说土胜水。

治水五行第六十一

[题解]

此篇把一年分为五个七十二日,分别由木、火、土、金、水来主事。木主事的七十二日就该实行柔惠的政策,火主事的时候宜举贤良,土主事的时候当养老问孤,金主事的时候要修缮城墙,水主事时则可以用刑。

日冬至,七十二日,木用事,其气燥浊而青;七十二日,火用事,其气惨阳而赤;七十二日,土用事,其气湿浊而黄;七十二日,金用事,其气惨淡而白;七十二日,水用事,其气清寒而黑。七十二日,复得木。木用事,则行柔惠,挺群禁①。至于立春,出轻系②,去稽留,除桎梏,开门阖,通障塞,存幼孤,矜寡独,无伐木。火用事,则正封疆,循田畴③。至于立夏,举贤良,封有德,赏有功,出使四方,无纵火。土用事,则养长老,存幼孤,矜寡独,赐孝弟④,施恩泽,无兴土功⑤。金用事,则修城郭,缮墙垣,审群禁,饬⑥甲兵,警百官,诛不法,存长老,无焚金石。水用事,则闭门闾⑦,大搜索,断刑罚,执当罪,饬关梁,禁外徙,无决池隄。

[注释]

①挺:放宽。禁:禁令。②轻系:罪轻的囚犯。③田畴:凌曙云:"《国

语》注:'谷地曰田,麻地曰畴。'"④孝弟:孝顺父母、敬爱兄长的人。⑤土功:指治水、筑城、建造宫殿等工程。⑥饬(chì):整顿,整治。⑦门闾:城门与里门。

[译文]

冬至日七十二日之后,五行之中木主事,气燥浊而呈现出蓝色。七十二日之后火主事,气炎热而呈现红色。七十二日之后土主事,其气潮湿浑浊而显现为黄色。七十二日之后金主事,其气暗淡而显现为白色。七十二日之后水主事,其气清朗寒冷显为黑色。其后七十二日,又是木主事。木主事,则施行平和仁慈的安抚政策,放宽各种禁令。到了立春,释放罪轻的囚犯,去除刑具,打开门扇,打通阻碍,关心幼小的孤儿,怜悯没有配偶和子女的老年人,不采伐林木。火主事,就划定疆界,巡视农田。到了立夏,荐举才德兼具的人,封爵位给有德行的人,赏赐有功之人,派遣使臣出使四方诸国,不要放火。土主事,则奉养年长的老人,养育幼小的孤儿,怜悯没有配偶和子女的人,赏赐孝悌之人,施以恩惠,不要大兴土木。金主事,则修筑城墙,修补墙壁,考察各种禁令,整顿铠甲兵械,警示百官,诛杀违法之人,存养年长的老人,不焚烧金玉。水主事,就关闭城门与里门,进行搜查,判决刑罚,捉拿罚当其罪之人,修整关口和桥梁,禁止迁徙,不要决开河流的堤防。

卷十四

五行变救第六十三

[题解]

此篇讲的是自然（五行）发生灾变现象时，统治者应当如何采取紧急措施来加以补救。董仲舒认为，天人之间存在感应，因此自然界的灾变是人事失误造成的，上天欲以此来警戒世人。不同的灾变与人类的恶行一一相应，对待灾变必须痛改前非，针对各种灾异，以对应的道德行为来加以化解。

五行变至，当救之以德，施之天下，则咎①除。不救以德，不出三年，天当雨石。木有变，春凋秋荣，秋木冰，春多雨。此繇役众，赋敛重，百姓贫穷叛去，道多饥人。救之者，省繇役，薄赋敛，出仓谷，振困穷矣。火有变，冬温夏寒。此王者不明，善者不赏，恶者不绌②，不肖在位，贤者伏匿，则寒暑失序，而民疾疫。救之者，举贤良，赏有功，封有德。土有变，大风至，五谷伤。此不信仁贤，不敬父兄，淫泆无度，宫室荣③。救之者，省宫室，去雕文，举孝悌，恤黎元。金有变，毕昴④为回，三覆有武，多兵，多盗寇。此弃义贪财，轻民命，重货赂，百姓趣利，多奸轨⑤。救之者，举廉洁，立正直，隐武行文，束甲械。水有变，冬湿多雾，春夏雨雹。此法令缓，刑罚不行。救之者，忧囹圄，案奸宄，诛有罪，蓑⑥五日。

[注释]

①咎：指灾害。②绌（chù）：通"黜"，免除，除去。③荣：盛多。④毕昴（mǎo）：毕、昴都是天上二十八星宿之一，它们的变化预示着战乱。⑤轨：通"宄"，犯法作乱者。⑥蒐：通"搜"。

[译文]

五行发生变异时，应当用德政救助它，再把德政布施天下，灾害就消除了。若不用德政来补救，不超过三年，上天就会落下陨石来惩罚。木发生变异时，春季凋零而秋季开花，秋季树木结冰，春季雨水泛滥。这是因为徭役繁重，赋税太多，百姓贫穷背离家园，道路上多有饥荒的人。补救的办法是，简省徭役，减少赋税，抽出国库里的粮食，救助困苦贫穷的人们。火发生变异时，冬季温暖夏季寒冷。这是因为君主不贤明，对好人不奖赏，对作恶的不罢免，让不贤德的人在职位上当政，贤良的人隐退，就会使寒冷暑热失去正常的次序，百姓多发生疾病瘟疫。补救的办法就是，推举贤能，奖赏有功的人，授予有德行的人称号。土发生变异时，大风就会到来，五谷受到伤害。这是因为不信任仁德贤良的人，不尊敬父亲兄长，荒淫无度，官室盛多。补救的办法就是，简省官室，除去雕饰彩绘，推行孝悌，体恤百姓。金发生变异时，天上的毕宿、昴宿回复变化，多次相覆盖，有战事发生，多战乱，多贼寇。这是因为放弃正义，贪图财物，轻视百姓的生命，看重财货贿赂，百姓只知道追求利益，多有犯法作乱的人。补救的办法就是，厉行廉洁的风气，树立正直的德行，消弭战事，推行文治，收起铠甲兵器。水发生变异时，冬季潮湿多雾，春夏多雨水冰雹。这是因为法令宽缓，刑罚不能执行。补救的办法是，关心牢狱之事，审查犯法作乱的人，诛罚有罪的人，对他们搜查五天。

五行五事第六十四

[题解]

　　此篇讲天人感应。董仲舒认为，天子若不遵循礼制，就会使上天有所感应，其每一种具体的非礼行为都会有相应的自然灾变作为反应。王者应该恭敬地对待大臣，正确听取他们的意见，合理采纳他们的主张。如此，上天才不会降下灾异以示惩罚。

　　王者与臣无礼，貌不肃敬，则木不曲直①，而夏多暴风。风者，木之气也，其音角也，故应之以暴风。王者言不从，则金不从革，而秋多霹雳。霹雳者，金气也，其音商也，故应之以霹雳。王者视不明，则火不炎上，而秋多电。电者，火气也，其音徵也，故应之以电。王者听不聪，则水不润下，而春夏多暴雨。雨者，水气也，其音羽也，故应之以暴雨。王者心不能容，则稼穑不成，而秋多雷。雷者，土气也，其音宫也，故应之以雷。

　　五事②：一曰貌，二曰言，三曰视，四曰听，五曰思。何谓也？夫五事者，人之所受命于天也，而王者所修而治民也。故王者为民，治则不可以不明，准绳不可以不正。王者貌曰恭，恭者敬也；言曰从，从者可从；视曰明，明者知贤不肖，分明黑白③也；听曰聪，聪者能闻事而审其意也；思曰容④，容者言无不容。恭作肃,从作乂⑤,明作哲,聪作谋,容作圣。何谓也?恭作肃,言王者诚能内有恭敬之姿,而天下莫不肃矣。从作乂,言王者言可从,明正⑥从行而天下治矣。明作哲,哲者智也,王者明则贤者进,不肖者退,天下知善而劝之,知恶而耻之矣。聪作谋,谋者谋事也,王者聪则闻事与臣下谋之,故事无失谋矣。容作圣,圣者设也,王者心宽大无不容,则圣能施设,事各得其宜也。

王者能敬,则肃,肃则春气得,故肃者主春。春,阳气微,万物柔易,移弱可化,于时阴气为贼,故王者钦⑦。钦不以议阴事,然后万物遂生,而木可曲直也。春行秋政,则草木凋;行冬政,则雪;行夏政,则杀。春失政则⑧……

王者能治,则义立,义立则秋气得,故义者主秋。秋气始杀,王者行小刑罚,民不犯则礼义成。于时阳气为贼,故王者辅以官牧之事,然后万物成熟,秋,草木不荣华,金从革也。秋行春政,则华;行夏政,则乔⑨;行冬政,则落。秋失政,则春大风不解,雷不发声。

王者能知,则知善恶,知善恶则夏气得,故哲者主夏。夏,阳气始盛,万物兆长,王者不挣明,则道不退塞。而夏至之后,大暑隆,万物茂育怀任⑩,王者恐明不知贤不肖,分明白黑。于时寒为贼,故王者辅以赏赐之事,然后夏草木不霜,火炎上也。夏行春政,则风;行秋政,则水;行冬政,则落。夏失政,则冬不冻冰,五谷不藏,大寒不解。

王者无失谋,然后冬气得,故谋者主冬。冬,阴气始盛,草木必死,王者能闻事,审谋虑之,则不侵伐。不侵伐且杀,则死者不恨⑪,生者不怨。冬日至之后,大寒降,万物藏于下。于时,暑为贼,故王者辅之以急断之以事,以水润下也。冬行春政,则蒸;行夏政,则雷;行秋政,则旱。冬失政,则夏草木不实,霜,五谷疾枯。

[注释]

①曲直:木的属性。和下文中的从革、炎上、润下和稼穑一起,出自《尚书·洪范》。②五事:亦出自《尚书·洪范》。③黑白:善恶等对立的事物。④容:宽容。⑤乂(yì):治理。⑥明正:当作"则臣"。⑦钦:重视。⑧"则"后有阙文。⑨乔:同"槁",枯槁。⑩怀任:孕育。⑪恨:遗憾。

[译文]

国君对臣子没有礼遇,外表不肃敬,树木就不能曲直成材,夏天就经常会有暴风出现。所谓风,就是木的气,属于五音之角,所以暴风与之相应。君主的言论不能使人顺从,金属就不能任人改变形状,秋天就会多雷雨。所谓雷雨,就是金的气,它属于五音之商,所以雷雨与之相应。君主的眼光不好,火就不能正常地向上燃烧,秋季就会多闪电。所谓闪电,就是火的气,它属于五音中的徵,所以闪电与之相应。君王的听觉不好,水就不能往下润泽,春夏两季就多下暴雨。所谓雨,就是水的气,属于五音之羽,所以暴雨与之相应。君王的内心不够宽容,庄稼就不能有收成,秋季就会多雷声。所谓雷,就是土的气,属于五音的中宫,所以雷声与之相应。

(对君主来说)五件事就是:一是容貌,二是言谈,三是眼光,四是听力,五是思考。这是什么意思呢?原来这五件事,是人从天所接受的天命,是君主用来修身并治理民众的。所以国君治理民众,治理的方法和原则不能不使民众明白,治理不可以不端正。国君的容貌应该是恭敬的,恭谨就是持有敬心。言谈应该是和顺的,和顺就是具有信服力。眼光就是明察,明察就是知道贤能与否。听力就是能够明辨是非,明辨是非就能有计谋。思虑应该是宽容的,宽容的意思就是说没有什么不能容纳。恭敬可以达到肃(肃敬),

和顺可以达到义（治理），明察可以达到哲（智慧），听察可以达到谋（谋划），宽容可以达到圣（圣明）。这是什么意思呢？恭敬可以达到肃，是说国君如果有恭敬之心，天下就没有对他不肃敬的。和顺可以达到义，是说国君的言论可以和顺的话，那么臣子顺从国君的意思行事就可以使天下太平。明察可以达到哲，哲也就是明智。国君能够明察，贤能的人就可辅助国君治国，而没有什么能力的官员则会退出，那么天下的民众知道是善就会努力从善，知道是恶就以此恶事为耻辱。辨听明察可以达到谋，是说国君明察是非，遇到事情就会和臣子们一起谋划商议，所以办事就不会出现失误。宽容又可以达到圣，所谓圣，就是施设。国君心地宽大无所不能容纳，圣明有所作为，他施设任何事情都能得到合适的结果。

国君能够恭敬，就会达到严肃，而严肃就能得到春气，所以严肃主于春。春季的时候阳气微弱，万物柔弱容易移动，是因为柔弱易于变化。这个时候阴气经常作乱，所以国君就很重视，不讨论实施那些属阴之事（如刑罚、用兵等），然后万物便得以生长，而木也可曲可直了。春季施行秋季的政令，那么草木就会凋零；施行冬天的政令，天上就会下雪；施行夏季的政令，万物就会逐渐衰落。春季失去自身政令的标准就会……

国君善于治国，正义就会确立起来，正义确立就得到了秋气，所以正义主于秋。在秋天，阳气开始渐渐衰落，国君采用一些轻的刑罚，使民众不触犯，成就了社会的礼义。这个时候阳气经常作乱，所以国君采用处理各种政府和地方事务的方法来提高自己，然后万物得以成熟。秋天的草木既不结实也不开花，这体现了金从革的属性。如果秋季施行春季的政令，草木就会开花；如果施行夏季的政令，草木就会枯槁；如果施行冬天的政令，草木就会衰落。秋季不理政事，到了春天的时候就会经常有大风，打雷但没有声音。

如果国君有智慧，就能分辨善恶，分辨善恶就得到了夏气，所以明智主于夏。到了夏天，阳气开始兴盛，万物快速地生长，国君不掩盖自己的智慧，大道就不会闭塞。到了夏至日以后，真正炎热的时候到来，万物兴盛并孕育自己的后代，而这时国君担心自己不知道贤能与不肖者是谁，于是就要辨明是非好坏。在这个时候，寒气就会成为灾害，所以这时的国君应该用赏赐的办法来辅助自己。夏天的草木上不会结有冰霜，是因为火炎上的道理。如果在夏季施行春天的政令，天上就会有风；如果实行秋季的政令，地面上就会有洪水；如果实行冬天的政令，草木枝叶就会凋落。如果夏季失去自己的政令，那么到了冬天河流就不结冰，五谷也不退藏，天气就会长期保持严寒。

如果国君的思虑没有疏漏，就能得到冬气，所以思虑代表冬天。到了冬天，阴气开始盛行，各种草木都要死亡。君王善于听事，并对之进行细心谋划，就不会有侵略和征伐。如果没有侵伐和杀戮，那么死去的人就不会感到遗憾，而活着的人也就不怨恨。到了冬至日以后，真正的寒冷到来，万物藏身在大地的下面。在这个时候，暑热就会成为灾害，所以国君应该以果断辅助自己，这是水润下的属性。如果在冬季施行春季的政令，那么阳气就会上升；如果施行夏季的政令，那么天上就会有雷；如果施行秋季的政令，大地就会干旱。冬天的政令有误，等到了夏天，草木就不结果实，还会下霜，五谷将会很快干枯。

卷十五

郊义第六十六

[题解]

此篇讲的是郊祭的大义。郊祭是祭天之礼,而天是王者最尊敬的,是其政权合法性的来源。郊祭在国家各种祭祀中是最为重要和尊贵的。故篇中反复强调郊祭的特殊,申明郊祭的重要性。

郊义①,《春秋》之法,王者岁一祭天于郊,四祭于宗庙。宗庙因于四时之易,郊因于新岁之初,圣人有以起之,其以祭不可不亲也。天者,百神之君也,王者之所最尊也。以最尊天之故,故易始②岁更纪③,即以其初郊。郊必以正月上辛④者,言以所最尊,首一岁之事。每更纪者以郊,郊祭首之,先贵之义,尊天之道也。

[注释]

①郊义:即郊祭之义。②始:疑为衍字。③更纪:更改纪年。④上辛:上旬辛日。

[译文]

郊祭的大义是这样的:按照《春秋》制定的大法,天子每年一次祭天于郊外,四次祭祀于宗庙。宗庙祭祀的时间在四季交替之时,郊祭则选择在岁初新年之时。圣人制定这样的规矩是有原因的，他在祭祀之时是不可不亲自主持的。天，是百神的君长，是王者所最尊的，因为尊天的缘故，每年要更改历数，这就是郊祭的含义。郊祭必须在正月上旬辛日这一天举行，这是表明人最尊敬的是天，所以把祭天放在一年之首举行。每次更变纪年的时候要在郊外举行郊祭，这是尊贵的意思，是尊天之道。

郊祭第六十七

[题解]

此篇继上篇《郊义》之意，再次宣扬天子郊祭的重要性。篇中不但说之以理，还证之以史，举了周文王郊祭之后讨伐崇国获得成功的实例，以此证明王者重视郊祭就会得到上天的祝福，行事就会成功。

《春秋》之义，国有大丧者，止宗庙之祭，而不止郊祭，不敢以父母之丧，废事天地之礼也。父母之丧，至哀痛悲苦也，尚不敢废郊也，孰足以废郊者？故其在礼，亦曰："丧者不祭，唯祭天为越丧而行事。"夫古之畏敬天而重天郊，如此甚也。今群臣学士不探察，曰："万民多贫，或颇饥寒，足郊乎？"是何言之误！天子父母事天，而子孙畜万民。民未徧饱，无用祭天者，是犹子孙未得食，无用食父母也。言莫逆于是，是其去礼远也。先贵而后贱，孰贵于天子？天子号天之子也。奈何受为天子之号，而无天子之礼？天子不可不祭天也，无异人之不可以不食父。为人子而不事父者，天下莫能以为可。今为天之子而不事天，何以异是？是故天子每至岁首，必先郊祭以享天，乃敢为地，行子礼也；每将兴师，必先郊祭以告天，乃敢征伐，行子道也。文王受天命而王天下，先郊乃敢行事，而兴师伐崇①。其

《诗》曰:"芃芃棫朴,薪之槱之。济济辟王,左右趋之。济济辟王,左右奉璋。奉璋峨峨,髦士攸宜。"②此郊辞也。其下曰:"淠彼泾舟,烝徒楫之。周王于迈,六师及之。"此伐辞也。其下曰:"文王受命,有此武功,既伐于崇,作邑于丰。"③以此辞者,见文王受命则郊,郊乃伐崇,伐崇之时,民何处央④乎?

[注释]

①崇:国名。②"芃芃棫朴"八句:引自《诗经·大雅·棫朴》,《诗序》认为该诗的主旨是赞颂文王"能官人也",即称赞文王举贤任能。槱(yǒu):聚积木柴以备燃烧。③"文王受命"四句:引自《诗经·大雅·文王有声》。④央:同"殃"。一说为"平"。

[译文]

《春秋》的大义是,国家有大丧的时候,停止宗庙之祭,而不停止郊祭。(新国君)不敢以父母之丧而废除天地之祭。父母之丧是至痛之事,尚且不敢以此而废郊祭,那么世上还有什么足以废郊祭的呢?因此在礼中有这样的说法:有丧事的人不祭祀,但祭天是越丧而行事的。古人敬畏天、重视祭天到了这样的程度啊!今天大臣和学士们不去探究事实,而是说:"老百姓很穷,饥寒交迫,国家哪有能力去举行郊祭啊?"这句话是很大的错误!天子像侍奉父母那样事天,像蓄养子孙那样养育万民。那种说人民吃不饱饭就不用祭天的说法,就好比子孙还没有吃饭,就不让父母进食是一个道理。没有比这更谬误的了,这离真正的礼很远。做事应该尊贵者优先,低贱者随后,天下人中谁比天子还尊贵呢?天子号称是上天之子,为什么受了天子的名号,却没有行天子之礼?天子不可以不祭天,这跟人不可以不侍奉父母进食是一样的。身为人子,却不侍奉父母的人,天下没有人会认为他是对的。作为天子而不事天,和这个有区别吗?因此天子每到了岁首的时候,一定要先郊祭以事天,其后才敢祭地,这是行使人子之礼;每到了要征伐的时候,一定要先郊祭以向上天祷告，才敢出兵，这是行使人子之道。周文王受命而为天下之王，先进行郊祭才敢行事，出兵攻伐崇国。《诗经》说："茂密的棫朴啊，砍下来，堆起它。英武的君王啊，左右跟随走向前。英武的君王，左右手捧美玉璋。玉璋多巍峨，左右皆俊才。"这是郊祭之辞。下面又说道："舟儿泾河开，众人一起划桨来。君王走前头，六师跟在后。"这是出征时候的祭词。下面说："文王受命，拥有了这武功，既然打下了崇国，就在丰地建了城。"这几句诗可见文王受天命而举行郊祭，郊祭之后文王讨伐崇国的事，怎么能从中看出人民把伐崇之事作为自己的灾殃呢？

四祭第六十八

[题解]

四祭指的是春祭的祠，夏祭的礿，秋祭的尝，冬祭的蒸。四祭是古人每年四次祭祀祖先的礼，人们把春、夏、秋、冬时令的最新鲜的谷物、蔬菜贡献给祖先品尝，表达子孙的孝敬之意，同时也希望祖先保佑自己。

古者岁四祭。四祭者，因四时之所生孰①，而祭其先祖父母也。故春曰祠，夏曰礿，秋曰尝，冬曰蒸。此言不失其时，以奉祭先祖也。过时不祭，则失为人子之道也。祠者，以正月始食韭也；礿者，以四月食麦也；尝者，以七月尝黍稷也；蒸者，以十月进初稻也。此天之经也，地之义也。孝子孝妇，缘天之时，因地之利。地之菜茹瓜果，艺②之稻麦黍稷，菜生谷熟，永思吉日，供具祭物，斋戒沐浴，洁清致敬，祀其先祖父母。孝子孝妇不使时过，已处之以爱敬，行之以恭让，亦殆免于罪矣。

已受命而王，必先祭天，乃行王事，文王之伐崇是也，诗曰："济济辟王，左右奉璋。奉璋峨峨，髦士攸宜。"③此文王之郊也。其下之辞曰："淠彼泾舟，烝徒楫之。周王于迈，六师及之。"此文王之伐崇也。上言奉璋，下言伐崇，以是见文王之先郊而后伐也。文王受命则郊，郊乃伐崇。崇国之民，方困于暴乱之君，未得被圣人德泽，而文王已郊矣。安在德泽未洽者不可以郊乎？

[注释]

①孰：同"熟"。②艺：种植。③见《郊祭第六十七》注释②。

[译文]

古代的时候每年祭祀四次：这四次祭祀是依四季所生之物的品种、生熟来祭祀国君的先祖父母的。春天的祭祀叫做祠，夏天的祭祀叫做礿，秋天的祭祀叫做尝，冬天的祭祀叫做蒸，这种说法的用意是要不错过时序来祭祀先祖。如果错过了时节没有祭祀，这就丧失了人子之道了。祠祭是在正月刚开始吃韭菜的时候，礿祭是在四月食麦的时候，尝祭是在七月初尝黍稷的时候，蒸祭是在十月稻子熟的时候，这是天经地义的事情。孝顺的子孙依据天时，凭借地利，种植蔬菜瓜果、稻麦黍稷，当蔬菜新鲜，稻谷已熟，选择吉日，献出祭品，斋戒沐浴，洁清自己，致敬于神，以祭祀他们的先祖父母。孝顺的子孙不会失时于天，他们以爱敬的心对待它，以恭让的心行动，这大概就能免罪了。

周文王受命而为天下之王，先进行郊祭，然后才出兵攻伐崇国。《诗经》说："茂密的棫朴啊，砍下来，堆起它。英武的君王啊，左右跟随走向前。英武的君王，左右手捧美玉璋，玉璋多巍峨，左右皆俊才。"这是郊祭之辞。下面又说道："舟儿泾河开，众人一起划桨来。君王走前头，六师跟在后。"这是出征崇国时候的祭词。上句言奉璋，下句言伐崇，从中可见文王是先举行郊祭其后才行征伐的。文王受天命而攻伐崇国，崇国之民正困于暴君的统治，还没有蒙受圣人之德的润泽，而文王就举行了郊祭。为何说国君的恩德未施及百姓之时就不可以举行郊祭呢？

郊祀第六十九

[题解]

此篇极力地宣扬郊祀祭天在祭祀中的特殊地位。丧祭、山川祭等在事先都不用占卜其吉凶，只有郊祭要先行占卜，不吉的话就不敢进行郊祭，这显示了对郊祭的极端重视。如此重视郊祭是因为郊祭是祭天之礼，万物来自于天，天为最大，因此郊祭也最为重要。

周宣王时，天下旱，岁恶甚，王忧之。其诗曰："倬彼云汉，昭回于天。王曰呜呼！何辜今之人？天降丧乱，饥馑荐臻。靡神不举，靡爱斯牲。圭璧既卒，宁莫我听。旱既太甚，蕴隆虫虫。不殄禋祀，自郊徂宫。上下奠瘗，靡神不宗。后稷不克，上帝不临。耗斁下土，宁丁我躬。"①宣王自以为不能乎后稷②，不中乎上帝，故有此灾。有此灾，愈恐惧而谨事天。天若不予是家，是家者安得立为天子？立为天子者，天予是家。天予是家者，天使是家。天使是家者，是家天之所予也，天之所使也。天已予之，天已使之，其间不可以接天何哉？故《春秋》凡讥郊，未尝讥君德不成于郊也。乃不郊而祭山川，失祭之叙，逆于礼，故必讥之。以此观之，不祭天者，乃不可祭小神也。郊因先卜，不吉不敢郊。百神之祭不卜，而郊独卜，郊祭最大也。《春秋》

讥丧祭，不讥丧郊，郊不辟丧，丧尚不辟，况他物？郊祝曰："皇皇上天，照临下土。集地之灵，降甘风雨。庶物群生，各得其所。靡今靡古，维予一人某，敬拜皇天之祜。"③夫不自为言，而为庶物群生言，以人心庶天无尤焉。天无尤焉，而辞恭顺，宜可喜也。右郊祀九句。九句者，阳数也。

[注释]

①诗句引自《诗经·大雅·云汉》，是记周宣王时旱情之诗。②乎：及。后稷：周人先祖。③祜（hù）：福。这几句是天子郊祭时向上天祷告之辞。

[译文]

周宣王的时候，天下大旱，没有收成，王很担忧。《诗经》说："明亮的银河啊，在天空回转。我王祷告说，百姓有何罪！老天降下灾难，饥荒频至。没有不祭遍众神，也没有吝啬祭牲。祭祀的美玉也用过了，但是上天不听我的祷告！旱情这么严重，大地蒸炎，我不废弃祭祀，从郊外回到王宫。上下无不求祷，无神不告，祖先不来享用祭品，上天也不降临，若要惩罚人间，都降在我一身吧！"宣王自以为不能致意于祖先后稷，不被上天所喜，因此有此灾祸。既有此灾，他愈发心中恐惧而谨慎事天。上天如果不喜欢周王之家，周文王怎么能够立为天子？能够被立为天子，就是说明上天喜欢他。上天喜欢他，就让他成为天子。天既然喜欢他，又让他成为天子，那为什么祭天的时候不能上通于天呢？因此《春秋》每次在讥刺郊祭的时候，不是在讥刺君主郊祭之礼不成，而是讥刺他们不举行郊祭而先祭祀山川，失去了祭祀的次序，这是违背礼制的。因此才讥刺他们。以此来看的话，不祭天的意思是不可以祭祀小神。举行郊祭之前先要卜筮，如果结果不吉的话，就不敢进行。祭祀百神的时候不用占卜，唯独郊祭的时候占卜，这说明郊祭是最重要的祭祀。《春秋》讥刺丧祭，而不讥刺郊祭。举行郊祭不避开丧事，丧事尚且不避，何况其他事呢。郊祭的祝词说："光明的上天，照临在大地上，集合大地之灵气，普降甘霖，万物群生各得其所，不论是古代还是今天，此刻我一人，祭拜上天的赐福。"这祝词不为自己求福，而是为万物群生代言，以人心希望上天不要责怪。天不责怪，祝词恭顺，这真是可喜啊！以上是郊祭祝词，共九句。之所以是九句，也是因为所取的是阳数。

郊事对第七十一

[题解]

此篇记载了董仲舒年老致仕（退休）之后，对武帝派遣廷尉张汤向其咨询郊祭之事的回答。内容主要涉及郊祭时用牲的色泽、大小以及名称等。董仲舒引经据典，以鲁国祭祀周公时的祭礼为例来介绍郊祭的细则。

廷尉臣汤①昧死言，臣汤承制，以郊事问故胶西相仲舒。臣仲舒对曰："所闻古者天子之礼，莫重于郊。郊常以正月上辛者，所以先百神而最居前。礼，三年丧，不祭其先，而不敢废郊。郊重于宗庙，天尊于人也。《王制》曰：'祭天地之牛茧栗②，宗庙之牛握③，宾客之牛尺。'此言德滋美而牲滋微也。《春秋》曰：'鲁祭周公，用白牡④。'色白贵纯也。帝牲在涤三月。牲贵肥洁，而不贪其大也。凡养牲之道，务在肥洁而已。驹犊未能胜刍豢⑤之食，莫如令食其母便。"臣汤谨问仲舒："鲁祀周公用白牡，非礼也？"臣仲舒对曰："礼也。"臣汤问："周天子用骍犅⑥，群公不毛。周公，诸公也，何以得用纯牲？"仲舒对曰："武王崩，成王立，而在襁褓之中，周公继文武之业，成二圣之功，德渐天地，泽被四海，故成王贤而贵之。《诗》云：'无德不报。'故成王使祭周公以白牡，上不得与天子同色，下有异于诸侯。臣仲舒愚以为报德之礼。"臣汤问仲舒:"天子祭天,诸侯祭土,鲁何缘以祭郊?"臣仲舒对曰:"周公傅成王,成王遂及圣,功莫大于此。周公,圣人也,有祭于天道。故成王令鲁郊也。"臣汤问仲舒:"鲁祭周公用白牡,其郊何用?"臣仲舒对曰:"鲁郊用纯骍犅。周色上赤,鲁以天子命郊,故以骍。"臣汤问仲舒:"祠宗庙或以鹜当凫,鹜非凫,可用否?"仲舒对曰:"鹜非凫⑦,凫非鹜也。臣闻孔子入太庙,每事问,慎之至也。陛下祭躬亲,斋戒沐浴,以承宗庙,甚敬谨,奈何以凫当鹜,鹜当凫?名实不相应,以承太庙,不亦不称乎?臣仲舒愚以为不可。臣犬马齿衰,赐骸骨⑧,伏陋巷。陛下乃幸使九卿问臣以朝廷之事,臣愚陋,曾不足以承明诏,奉大对。臣仲舒昧死以闻。"

[注释]

①汤:张汤。武帝时曾为吏,掌刑狱。②茧栗:形容牛角初生之状。言其形小如茧似栗。③握:牛角长四指。④牡:雄性的鸟兽。⑤刍(chú)豢(huàn):指牛、羊、猪、狗等牲畜。⑥骍(xīng)犅(gāng):祭祀用的赤色公牛。⑦鹜(wù):野鸭名。凫:家鸭名。⑧赐骸骨:古代大臣请求致仕(即退休)时的婉辞。

[译文]

廷尉大臣张汤冒死陈说:臣张汤秉承皇帝的旨意,用郊事询问前胶西相董仲舒。臣董仲舒回答:"所知道的古代天子的礼制,没有比郊祭更重要的。郊祭常在正月上旬的辛日举行,这是因为要在各种神灵之先居于最前位。礼数,服丧三年,可以不祭祀自己的祖先,但不能废弃郊祭。郊祭比祭祀宗庙重要,因为上天比人尊贵。《礼记·王制》里说:'祭祀天地的牛,牛角小若茧似栗;祭祀宗庙的牛,牛角四指长;招待宾客的牛,牛角一尺。'这是说德行越美、级别越高的越要选用年幼的牲牛。《春秋传》

里说：'鲁国祭祀周公，用白色的公牛。'白色贵在其纯净。祭祀天帝的牲牛要在涤宫里养三个月。牲牛贵在肥壮洁净，不贪图它高大。一切饲养牺牲的要求，务必在于肥壮洁净而已。幼畜不能喂养的，不如让它们吃其母乳便利。"臣张汤恭谨地问董仲舒："鲁国祭祀周公用白色的公牛，不合礼数吧？"臣董仲舒说："合礼。"臣张汤问道："祭祀周天子用红色的公牛，祭祀群公则用毛色不纯的公牛。周公是群公之一，为什么用纯色的牲牛？"臣董仲舒回答说："武王过世之后，成王继位，当时还是个在襁褓之中的孩子，周公继承文王武王的功业，成就了二王的功绩，德行浸润天地，恩泽遍及四海，所以成王尊重并崇尚他。《诗经》说：'没有不报答的恩德。'所以成王让用白色的公牛祭祀周公，向上不能和天子用同样的颜色的牲牛，向下又区别于其他诸侯。臣董仲舒认为这是报答恩德的礼仪。"臣张汤问董仲舒："周天子祭祀上天，诸侯祭祀灶神，鲁国为什么祭郊？"臣董仲舒回答说："周公传授教导成王，成王就成为了圣人，功劳没有比这更大的了。周公是圣人，对天道要进行祭祀。所以成王让鲁国祭天。"臣张汤问董仲舒："鲁国祭祀周公用白色的公牛，那郊祭上天时用什么？"臣董仲舒回答说："鲁国郊祭用红色的公牛。周天子崇尚红色，鲁国因为是周天子准许郊祭的，所以用红色牲牛。"臣张汤问董仲舒："供奉宗庙有用野鸭充当家鸭的，野鸭不是家鸭，可以用吗？"臣董仲舒回答说："野鸭不是家鸭，家鸭不是野鸭。我听说孔子进入太庙，对每一件事情都要查问，极为谨慎。君主祭祀必定亲自进行，斋戒沐浴，以承继宗庙，甚为恭敬谨慎。为什么要以家鸭冒充野鸭，野鸭冒充家鸭？名称与实际不相符，用来承继太庙，不也不相称吗？臣董仲舒认为不可以。臣材质低下，年老体衰，求得致仕，低伏于陋巷。陛下有幸派遣九卿询问臣朝政事务，臣愚钝浅陋，不能够承接陛下英明的昭示，回答天子的询问。臣董仲舒冒死来禀告您。"

卷十六

执贽第七十二

[题解]

"执贽"就是携带礼物。此篇讲拜访尊者时携带礼物的规矩。天子用鬯，公侯用玉，卿用羊羔，大夫用雁，其中各有讲究。大夫用雁是取其类似长者之意，卿用羊羔是取其仁义知礼，公侯用玉是取其洁白廉正，天子用鬯是取其气味纯仁淳粹，可上达于天。

凡执贽①，天子用畅②，公侯用玉，卿用羔，大夫用雁。雁乃有类于长者，长者在民上，必施然有先后之随，必俶然③有行列之治，故大夫以为贽。羔有角而不任，设备而不用，类好仁者；执之不鸣，杀之不谛，类死义者；羔食于其母，必跪而受之，类知礼者；故羊之为言犹祥与！故卿以为贽。玉有似君子。子曰："人而不曰如之何如之何者，吾末如之何也矣。"故匿病者不得良医，羞问者圣人去之，以为远功而近有灾，是则不有。玉至清而不蔽其恶，内有瑕秽，必见之于外，故君子不隐其短。不知则问，不能则学，取之玉也。君子比之玉，玉润而不污，是仁而至清洁也；廉而不杀，是义而不害也；坚而不罋④，过而不濡。视之如庸⑤，展之如石，状如石，搔而不可从绕⑥，洁白如素，而不受污，玉类备者，故公侯以为贽。畅有似于圣人者，纯仁淳粹，而有知之贵也，择⑦于身者尽为德音，发于事者尽为润泽。积美阳⑧芳香，以通之天。畅亦取百香之心，独末之，合之为一，而达其臭，气畅于天。其淳粹无择，与圣人一也，故天子以为贽。而各以事上也。观贽之意，可以见其事。

[注释]

①贽（zhì）：礼品。②畅：通"鬯"，祭祀所用之美酒。③俶（chù）然：美善的样子。④硻（kěng）：刚的意思。⑤庸：常。⑥绕：通"挠"，弯曲。⑦择：积的意思。⑧阳：疑为"畅"。

[译文]

拜访尊者的时候，天子用鬯酒作为礼品，公侯用玉，卿用羊羔，大夫用大雁。大雁有和长者相似的地方，长者在人民之中是尊贵的，他举止得体而众人跟随，体貌美善而众人秩序井然，因此大夫以雁为贽。羊羔有角而不用，虽然有防备的武器却置之而已，这和好仁的人相似；抓羊的时候它不叫，杀羊的时候它也不悲啼，这就像死于义的人；羊羔在吃母乳的时候是向其母跪着的，这和知礼的人类相似；羊读起来又跟"祥"接近，因此卿以羊羔为礼品。玉和君子相似。孔子说："那些从来不问'怎么办，怎么办'的人，我对他们也真是不知怎么办了。"隐藏病情的人，不能得到良医的诊治，羞于问事的人，圣人会离开他，认为他从长远来讲不会成就功业，从近处来讲则会有灾祸。因此不接近这种人。玉质清澈，但从不隐蔽其不好的地方，内有瑕疵，必然见之于外。君子也是这样，不隐藏自己的短处。不知道的东西就会问，不会做的事情就去学，这是取之于玉的品德。君子的品质可以和玉来相比，玉润洁而不污，这是有仁德而清洁；玉方正而不显露锋芒，这是有义而无害于人；玉坚而不刚，润泽而不沾湿。看起来很平常，展开时像石头，形状像石头，又不可弯曲，洁白的品质像绢一样不受污染，玉的德性很完备，因此公侯以玉为贽。鬯酒很像圣人的品质，圣人纯粹而醇厚，有智慧的尊贵，积于己身的都是美德之音，发于事的则都是润泽万物。把醇香之气发散出来，上通于天。鬯酒也是取百香的精华合于一身，用花心之末掺入酒中，发散其香而上至于天。它的纯粹和圣人是一样的，因此天子以鬯为贽。天子、公侯、卿、大夫各以鬯、玉、羔、雁作为拜访尊贵之人的礼品。因此观察贽的涵义，就可以明白一个人的身份和职责了。

山川颂第七十三

[题解]

　　此篇是对山川神祇的赞颂。篇中赞美了山的高大与坚定，将其比为仁人志士；同时也歌颂水的永恒与清净，称水之性与世间的有力者、持平者、察者、智者、知命者、善化者、勇者、武者、有德者相似。

　　山则崔崒嵬崔①，摧嵬掌巍②，久不崩阤③，似夫仁人志士。孔子曰："山川神祇立，宝藏殖，器用资，曲直合，大者可以为宫室台榭，小者可以为舟舆浮溅④，大者无不中，小者无不入，持斧则斫⑤，折镰则艾，生人立，禽兽伏，死人入，多其功而不言，是以君子取譬⑥也。且积土成山，无损也；成其高，无害也；成其大，无亏也。小其上，泰其下，久长安，后世无有去就，俨然独处，惟山之意。诗云：'节彼南山，惟石岩岩；赫赫师尹，民具尔瞻。'此之谓也。"

　　水则源泉混混沄沄⑦，昼夜不竭，既似力者；盈科⑧后行，既似持平者；循微赴下，不遗小间，既似察者；循溪谷不迷，或奏⑨万里而必至，既似知者；障防⑩山而能清净，既似知命者；不清而入，洁清而出，既似善化者；赴千仞之壑，入而不疑，既似勇者；物皆困于火，而水独胜之，既似武者；咸得之而生，失之而死，既似有德者。孔子在川上曰："逝者如斯夫，不舍昼夜。"此之谓也。

[注释]

①尨崧（lóng zōng）：山势高峻貌。嵓崔：峭拔高耸貌。②摧（zuǐ）嵬：高大。崔（zuì）巍：高而不平的样子。③崩阤（zhì）：崩塌。④浮浅（shè）：筏子。⑤斫：用刀、斧等砍。⑥譬：比喻。⑦混混沄沄：水流汹涌的样子，比喻连续不断。⑧盈科：水灌满坑的样子。盈，满。科，坎，水坑。⑨奏：走。⑩障防：阻挡，为堤坝所阻挡。

[译文]

山势险峻高耸，高峻不平，历久不崩塌，像仁人志士一样。孔子说："山神、地神的地位已经确立，出产珠宝矿产，供给器皿用具，所产木材曲直正好合适，大的可以用来做宫室和台榭，小的可以用来做船只、车辆和筏子，大的没有不符合人们要求的，小的没有不适合人们愿望的，手持斧头就可以砍削，拿着镰刀就可以收割，活着的人站立上面，禽兽藏匿山中，死去的人埋入其中，它有众多功绩却从不自夸，所以君子用大山作比喻。而且积聚泥土累成山，没有损害；积土成就山的高峻峭拔，没有祸害；积土成就山的宽阔广袤，没有亏损。上面小，下面大，长久地安稳存在，后代也没有远离或凑近的，严肃庄重地独自伫立，是只有大山具有的意志。《诗经》里说：'高大的那座南山，巨石磊磊，赫赫有名的尹吉甫啊，百姓都在仰望你。'就是这个意思。"

水自源泉汹涌不断地流出，昼夜都不停歇，像强有力者；灌满坑洞后继续流淌，像是主持公平者；循着细微的缝隙飞流而下，不遗漏任何小的空隙，像是明察秋毫者；循着山壑流淌而不迷失，或者流淌万里而必定到达目的地，就像智者；有山作为堤坝阻挡而能保持清澈洁净，就像是知命者；不洁净的水流入其中，会洁净地流出，就像长于教化者；流向千仞高的沟壑，流入时毫不迟疑，就像一个勇者；万物都被火所围困，独独只有水能战胜它，就像一位武者；万物都会因为得到水而滋生，失去水而死亡，就像一位有德的人。孔子在河川上说："流逝的时光如同这流水一样，昼夜不停。"就是这个意思。

止雨第七十五

[题解]

此篇主要讲的是止雨的办法。古人对于涝灾既有具体的防范方法，如堵塞沟渠等，同时也进行祭祀、斋戒等活动，以祈求上天止雨。从官至民，向上天行止雨之礼，击鼓陈词，向天祷告，一共进行三日。篇中第二段是董仲舒本人在任江都王相的时候作的止雨祝词以及对止雨过程的记录。

雨太多，令县邑于土日，塞水渎①，绝道，盖井，禁妇人不得行入市。令县乡里皆扫社下，县邑若丞合史、嗇夫三人以上，祝一人；乡嗇夫②若吏三人以上，祝一人；里正父老三人以上，祝一人，皆斋三日，各衣时衣。具豚一，黍盐美酒财足，祭社。击鼓三日而祝。先再拜，乃跪陈，陈已，复再拜，乃起。祝曰："嗟！天生五谷以养人，今淫雨太多，五谷不和，敬进肥牲清酒，以请社灵，幸为止雨，除民所苦，无使阴灭阳。阴灭阳，不顺于天。天之常意，在于利人，人愿止雨，敢告于社。"鼓而无歌，至罢乃止。凡止雨之大体，女子欲其藏而匿也，丈夫欲其和而乐也。开阳而闭阴，阖水而开火。以朱丝萦社十周。衣赤衣赤帻③。三日罢④。

二十一年八月甲申，朔。丙午，江都相仲舒告内史中尉：阴雨太久，恐伤五谷，趣⑤止雨。止雨之礼，废阴起阳。书十七县、八十离乡，及都官吏千石以下，夫妇在官者，咸遣妇归。女子不得至市，市无诣⑥井，盖之，勿令泄。鼓用牲于社。祝之曰："雨以太多，五谷不和，敬进肥牲，以请社灵，社灵幸为止雨，除民所苦，无使阴灭阳。阴灭阳，不顺于天。天意常在于利民，愿止雨。敢告。"鼓用牲于社，皆壹以辛亥之日，书到即起，县社令长，若丞尉官长，各城邑社啬夫，里吏正里人皆出，至于社下，铺⑦而罢。三日而止。未至三日，天大晴⑧亦止。

[注释]

①渎：沟渠。②啬夫：古代官吏名。③帻（zé）：头巾。④三日罢：此处取苏舆本，卢本为"言罢"。⑤趣：赶紧。⑥诣：到，靠近。⑦铺（bū）：下午申时（三点到五点）吃的饭食，晚饭。⑧大晴：苏舆本无"大"字。

[译文]

雨水太多，让县城在土日，堵塞沟渠，断绝流道，盖好水井，禁止妇人进入集市。命令县、乡、里都打扫灶社神庙之下，县邑中的县丞及官吏、啬夫三人以上，庙祝一人；乡啬夫等官吏三人以上，庙祝一人；村长父老三人以上，庙祝一人，都斋戒三日，各自穿上四时的衣服。准备小猪一只，黍、盐、美酒及充足的财货，祭祀灶神。击鼓三天后祈祷。先拜两拜，跪下来向神陈诉祈求，陈诉完毕，再拜两拜，然后起身。庙祝说："唉！上天生长五谷用来养育人，现在雨水太多，五谷不调和，恭敬地进贡肥美的祭牲和清酒，用来恭请灶神，有幸为人们止雨，去除人们所苦恼的阴雨，不让阴气减灭阳气。阴气减灭阳气，则不顺应上天。上天长久的心意，在于对人类有益，人们祈祷止雨，斗胆告诉灶神。"敲鼓但不唱歌，直到祭祀结束停止。但凡是止雨这样有关大局的仪式，女人要躲藏隐匿起来，男子要和气快乐。打开阳气而闭合阴气，关闭水而放开火。用红色的丝线绕庙社十周。穿红色的衣服戴红色的头巾。三天后结束。

江都王在位的二十一年八月甲申日，初一。丙午，江都相董仲舒告知内史中尉：阴雨太久了，恐怕要伤害到五谷，赶紧止雨。止雨的礼节，废弃阴气启动阳气。写文书给十七个县、八十个乡和都城内千石俸禄以下的官吏，夫妇都任职于官府的，都遣送妇人回家。女子不能到集市去，到集市的人不能接近水井，水井盖好，不要漏水。在社庙击鼓并献上祭牲。祈祷说："雨水已经太多了，五谷不调和，恭敬地进献肥美的祭牲，用来恭请社神，社神有幸为人们止雨，去除人们的苦难，不让阴气减灭阳气，阴气减灭阳气，不顺应于上天，上天的意图常常在于有益于人，希望停止下雨。斗胆告诉您。"在社庙内击鼓并献上祭牲，全部都在辛亥日，文书到达就开始，县社长官及县丞、尉、各城邑的地方官、里的官吏里正和里人都出来，到达社庙，申时吃饭结束。三日后停止。还没有到三日，就雨停天晴了。

祭义第七十六

[题解]

　　此篇讲祭祀的大义。祭祀要向上天进献五谷、蔬菜，因为这些都是上天所赐的，祭祀时进献是表示人对上天赐物的感谢。祭的意思是察，是让人体察鬼神之意，并进而了解天命之所在。

　　五谷，食物之性也，天之所以为人赐也。宗庙上①四时之所成，受赐而荐之宗庙，敬之性②也，于祭之而宜矣。宗庙之祭，物之厚无上也。春上豆实，夏上尊实，秋上朹实，冬上敦实。③豆实，韭也，春之所始生也；尊实，麷也，夏之所受初也；朹实，黍也，秋之所先成也；敦实，稻也，冬之所毕熟也。始生故曰祠，善其司也；夏约故曰礿，贵所受初也；先成故曰尝，尝言甘也；毕熟故曰蒸，蒸言众也。④奉四时所受于天者而上之，为上祭，贵天赐，且尊宗庙也。孔子受君赐则以祭，况受天赐乎！一年之中，天赐四至，至则上之，此宗庙所以岁四祭也。故君子未尝不食新，新天赐至，必先荐之，乃敢食之，尊天、敬宗庙之心也。尊天，美义也；敬宗庙，大礼也。圣人之所谨也。不多而欲洁清，不贪数而欲恭敬。君子之祭也，躬亲之，致其中心之诚，尽敬洁之道，以接至尊，故鬼享之。享之如此，乃可谓之能祭。祭者，察也，以善逮鬼神之谓也。善乃逮不可闻见者，故谓之察。吾以名之所享，故祭之不虚，安所可察哉！祭之为言际⑤也与？祭然后能见不见。见不见之见者，然后知天命鬼神。知天命鬼神，然后明祭之意。明祭之意，乃知重祭事。孔子曰："吾不与祭，如不祭。祭神如神在。"重祭事，如事生。故圣人于鬼神也，畏之而不敢欺也，信之而不独任，事之而不专恃。恃其公，报有德也；幸其不私，与人福也。其见于诗曰："嗟尔君子，毋恒安息。静共尔位，好是正直。神之听之，介尔景福。"正直者得福也，不正者不得福，此其法也。以诗为天下法矣，何谓不法哉？其辞直而重，有⑥再叹之，欲人省其意也。而人尚不省，何其忘哉！孔子曰："书之重，辞之复。呜呼！不可不察也，其中必有美者焉。"此之谓也。

[注释]

①上：进献。②性：当作"至"。③豆、尊、朹（guǐ）、敦：这四种都是古代祭器名。尊，在这里指匴（suǎn），是一种竹编容器。朹，古"簋（guǐ）"字，祭祀容器。④祠、礿（yuè）、尝、烝：四季的祭祀名。⑤际：会合，交合。⑥有：同"又"。

[译文]

五谷是人类基本的食物，是上天专门赐予人的。祭祀时进献四时的产物，是把所受的赐予进献给宗庙，这是最大的尊敬了，最适合于祭祀，在宗庙的祭祀中，没有比这更丰厚的物品了。春季用豆装祭品，夏季用匴，秋季用簋，冬季用敦。豆中装的是韭菜，这是春天才开始生长的。匴中装的是煮熟的小麦，这是夏季最先收获的。簋中所装的是黍，这是秋季最先成熟的。敦中装的是稻，是说冬季五谷全部成熟了。春天开始生长，所以春祭叫做"祠"，称赞祖先善于管理。夏季简约，所以夏祭叫做"礿"，这是看重最先接受的谷物。黍子先成熟，所以秋祭叫做"尝"，"尝"是甘甜的意思。五谷全部成熟，所以冬祭叫做"蒸"，"蒸"就是祭品众多的意思。进奉四季从上天所获得的东西给祖先，为最高的祭祀，是以上天所赐为最高贵，并且尊敬祖先。孔子受到君主的赏赐就要祭祀给祖先，况且受上天所赐呢？一年之中，上天赏赐给人们四次，赏赐来临就进献给祖先，这就是宗庙为什么一年要有四次祭祀的原因。因此君子不是不爱吃新鲜食物，但每一次新的天赐（韭、麦、黍、稻）到来，必定先进献给祖先，然后自己才敢食用，这是尊敬上天和宗庙的心理。尊重上天，是美好的品德；敬重祖先，是最高的礼节。圣人所谨慎对待的事情，就是不贪多而务求洁净，不追求数量而表现出恭敬，君子对于祭祀，一定是亲自参加，表达内心的诚意。竭尽尊敬和纯洁的道义，来迎接最尊敬的神灵，所以神灵才会来享用。达到这个地步，才可以说是祭祀。祭祀就是考察，使自己的善能够让鬼神知道。善能达到让不可闻见的鬼神知道，这就叫做考察。我根据祭祀的名称进献祭品，所以祭祀不虚假，有什么不能察见呢？祭祀是交际与会合吗？只有祭祀然后才能发现平时见不到的事物，发现见不到的事物然后才知道天命和鬼神，知道天命鬼神然后才明白祭祀的本意，明白祭祀的本意才知道重视祭祀的事情。孔子说："我若不亲自参与祭祀，对我来说就和没有举行祭祀是一样的。祭祀神灵就要像神灵就在眼前一样。"重视祭祀，就如同服侍父母一样。所以圣人对待鬼神，敬畏他而不敢欺骗他，相信他但不单独信任他一个，侍奉他而不专一依靠他。依靠他的公正来报答有德之人，希望他无私地给人好运。这在《诗经》中就有记载："喂！你这个君子，不要一直安逸地休息，要静心地尽好你的职责，好好发挥你的正直品德。神灵听察到你的情况，会给你最大的福运。"正直的人得到保佑，不正直的人得不到保佑，这就是法则。以《诗经》中标准作为法则，还有什么没有法则呢？《诗经》中的这段话用辞率直且有分量，又两次感叹，是希望人们理解它的意思。可是有的人还是不理解，他遗忘得多严重啊！孔子说："书中反复言说，用辞一再强调。唉！像这样的地方不可不注意啊！其中一定有美好的意义。"表达的就是这个意思。

卷十七

如天之为第八十

[题解]

阴阳之气同在天、人之中。天地对万物有生有杀,但这不是随意的,而是在万物当生的时候生,当杀的时候杀。人应该仿效天道,既修仁德,也修刑法。这是人顺从天地、体会阴阳的表现。

阴阳之气,在上天,亦在人。在人者为好恶喜怒,在天者为暖清寒暑。出入上下、左右、前后,平行而不止,未尝有所稽留滞郁①也。其在人者,亦宜行而无留,若四时之条条然②也。夫喜怒哀乐之止动也,此天之所为人性命者。临其时而欲发其应,亦天应也,与暖清寒暑之至其时而欲发无异。若留德而待春夏,留刑而待秋冬也,此有顺四时之名,实逆于天地之经。在人者亦天也,奈何其久留天气,使之郁滞,不得以其正周行也。是故天行谷朽寅,而秋生麦,告除秽③而继乏④也。所以成功继乏,以赡人也。天之生有大经也,而所周行者,又有害功也,除而杀殖⑤者,行急皆不待时也。天之志也,而圣人承之以治。是故春修仁而求善,秋修义而求恶,冬修刑而致清,夏修德而致宽。此所以顺天地,体阴阳。然而方求善之时,见恶而不释;方求恶之时,见善亦立行;方致清之时,见大善亦立举之;方致宽之时,见大恶亦立去之。以效天地之方生之时有杀也,方杀之时有生也。是故志意随天地,缓急仿阴阳。然而人事之宜行者,无所郁滞,且恕于人,顺于天,天人之道兼举,此谓执其中。天非以春生人,以秋杀人也,当生者曰生,当死者曰死,非杀物之义待四时也。而人之所治也,安取久留当行之理,而必待四时也。此之谓壅⑥,非其中也。人有喜怒哀乐,犹天之有春夏秋冬也。喜怒哀乐之至其时而欲发也,若春夏秋冬之至其时而欲出也,皆天气之然也。其宜直行而无郁滞,一也。天终岁乃一徧此四者,而人主终日不知过此四之数,其理故不可以相待。且天之欲利人,非直其欲利谷也。除秽不待时,况秽人乎!

[注释]

①稽留:停留。滞郁:阻滞。②条条然:古字修、条(條)互训,即修修然,很有秩序的样子。③秽:荒芜。④继乏:接济匮乏。⑤杀殛(jí):诛杀。此处疑有阙文。⑥壅(yōng):堵塞的意思。

[译文]

阴阳之气是上天的表现,同时也体现在人身上。在人身上的表现就是好恶与喜怒,在上天的表现就是暖清与寒暑。在出入、上下、左右、前后运动不息,从未有过一点的滞留。阴阳二气在人身上也应该是随着人的行动而运动不息,像四季更替一样有序。喜怒哀乐的发生和停止,是上天赋予给人的本性和命运。在什么情况下表现出什么状态,也是符合天道的,就像暖清寒暑在适当时候的表现一样。如果滞留恩德以等待夏秋再发作,滞留刑罚等待秋冬再实施,表面上是顺应四时,实际上却违背了天地的常道。人和天是一样的,为何久留上天之气,而不使其正常运行呢?因此上天运行到夏天谷子成熟,而在秋天又长出麦苗,是告知人们要除去荒草而使麦苗接济匮乏。通过接济匮乏来赡养人们。上天生育万物有大的原则,而急于实现这一原则,则又会损害功业,(疑有阙文)为铲除而杀死他,行为急切而不等待时机,是上天的志向,而圣人就是承接天志进行治理的。因此,在春季实行仁爱来求善,在秋季实行正义而去恶,在冬季实行刑罚而求政治清明,在夏季实行德政而求宽容。这是顺应天地、体会阴阳的方法。当其求善的时候,不因别人的邪恶而放弃求善;当其去恶的时候,见到善也会马上去实践;当其求清明的时候,见到有德的人马上举荐;当其求宽容时,见到大恶就马上去除。以此来效仿天地刚刚生养万物之时就有肃杀,在肃杀之时又有生养。因此志力意向追随天地,行为快慢仿效阴阳。然而人事中应当做的,就是无所滞留,宽恕别人且又顺应天地。天道是阴阳并举,这就是把握适中。上天并不仅仅在春天生人,在秋天杀人,而是人该生的时候就叫他生,该死的时候就叫他死,上天生人和杀人并不专门等待四季的某一季节到来。而治理国家,怎么能拿长久滞留而又当立行的事,去等待四时的出现呢?这叫做壅塞,不符合中的标准。人有喜怒哀乐,就像天有春夏秋冬一样。喜怒哀乐自然发泄和春夏秋冬自然出现一样,都是阴阳之气产生的,应当径直表现而不停留,这都是一致的。上天一年才用遍这四季,而君主一天之内要处置的事情却不知道要超过这四件事多少,他处理事情不可像四季之理那样等待时机。况且,上天要有利于人,不只是表现在谷物的生长上。除去杂草都不愿有所等待,更何况除去邪恶之人呢?

天地阴阳第八十一

[题解]

天地之中阴阳变化、品物混杂,唯人类能超乎万物,为天下最贵。天道滋养万物,而王者养民。王者参与天地之化育,因此他的尊严可与天地相提并论。王者应该知天,知天则能替天推行仁义。

天、地、阴、阳、木、火、土、金、水九,与人而十者,天之数毕①也。故数者至十而止,书者以十为终,皆取之此。圣人何其贵者?起于天,至于人而毕。毕之外谓之物,物者投所贵之端,而不在其中。以此见人之超然万物之上,而最为天下贵也。人,下长万物,上参天地。故其治乱之故,动静顺逆之气,乃损益阴阳之化,而摇荡四海之内。物之难知者若神,不可谓不然也。今投地死伤而不腾相助,投淖②相动而近,投水相动而愈远。由此观之,夫物愈淖而愈易变动摇荡也。今气化之淖,非直水也,而人主以众动之无已时,是故常以治乱之气,与天地之化相殽而不治也。世治而民和,志平而气正,则天地之化精,而万物之美起。世乱而民乖,志僻而气逆,则天地之化伤,气生灾害起。是故治世之德,润草木,泽流四海,功过神明。乱世之所起亦博。若是,皆因天地之化,以成败物,乘阴阳之资,以任其所为,故为恶愆③人力而功伤,名自过也。天地之间,有阴阳之气,常渐人者,若水常渐鱼也。所以异于水者,可见与不可见耳,其澹澹④也。然则人之居天地之间,其犹鱼之离水,一也。其无间若气而淖于水。水之比于气也,若泥之比于水也。是天地之间,若虚而实,人常渐是澹澹之中,而以治乱之气,与之流通相殽也。故人气调和,而天地之化美,殽于恶而味败,此易之物也。推物之类,以易见难者,其情可得。治乱之气,邪正之风,是殽天地之化者也。生于化而反殽化,与运连也。《春秋》举世事之道,夫有⑤书天,之尽与不尽,王者之任也。《诗》云:"天难谌斯,不易维王。"此之谓也。夫王者不可以不知天。知天,诗人之所难也。天意难见也,其道难理。是故明阳阴、入出、实虚之处,所以观天之志。辨五行之本末顺逆、小大广狭,所以观天道也。天志仁,其道也义。为人主者,予夺生杀,各当其义,若四时;列官置吏,必以其能,若五行;好仁恶戾,任德远刑,若阴阳。此之谓能配天。天者其道长万物,而王者长人。人主之大,天地之参也;好恶之分,阴阳之理也;喜怒之发,寒暑之比也;官职之事,五行之义也。以此长天地之间,荡四海之内,殽阴阳之气,与天地相杂。是故人言:既曰王者参天地矣,苟参天地,则是化矣,岂独天地之精哉?王者亦参而殽之,治则以正气殽天地之化,乱则以邪气殽天地之化,同者相益,异者相损之数也,无可疑者矣。

[注释]

①毕:完备。②淖(nào):稀泥。③愆:过错。④澹澹:水波动的样子。⑤有:通"又"。

[译文]

天、地、阴、阳、木、火、土、金、水,一共是九个,加上人正好是十,天数就完备了。所以数到十就没有了,写字也是以十为结束，这些都取法于此。人为什么是尊贵的呢？天数十当中，从天开始一直到人，在此之外，都称为物。所谓物，就是天数之所以尊贵的开端，但又不在天数之中，这就足见人已经超越于万物之上，成为天底下最为尊贵的。人向下长育万物，向上与天地相贯通，所以人类社会的治理和动乱，动静顺逆的二气，会损益天地阴阳的变化，而激荡于四海之内。物中所最难知晓的就好像是神明，不能不说是这样的。把物丢落在地上则会有死伤，而不能活动，将物丢落在稀泥中就会越动越近，丢落在水中就会慢慢远离。由此可见，物落入越湿润的地方就越容易变动摇荡。由气转化而成的泥沼，不仅仅是水，而国君动用众人来不断搅动它，所以治乱之气经常与天地的变化相混淆，社会就不能得到治理。社会治理得好，那么民众的生活就和谐，志向平和而气端正，于是天地的变化趋向精粹，而万物中最美的东西就产生了；社会动乱而民众乖离，志向偏邪而气逆，于是天地的变化就受到伤害，导致了灾害的发生。所以太平盛世的德行浸润草木，在四海内都有影响，甚至其功业超过了神明；动乱时期，也差不多是这样；他们都是由于天地的变化，使物或成或败，凭借着阴阳二气的禀赋，任意行事，所以做了恶事就会造成人力的不协，而功业和名声都受到损害。在天地之间有阴阳二气，无时无刻不在浸润人，就像水无时无刻不在浸润鱼一样。与水所不同的是，水可见而阴阳二气不可见，水可以看到波动的样子（而气却不能）。然而人生活在天地之间，就像鱼不能离开水一样，没有间隔，就像气在水中，水紧临着气，就好像泥紧临着水一样。所以天地之间，看起来是空虚的实际上是实在的，人无时无刻不生活在波动的气当中，以治乱之气与之相通。因此如果人的气调和了，天地的变化就产生美好的东西，若与坏的东西相混淆，就会败坏口味，这是人们容易见到的。以此对万物归类，通过简单的可以看到复杂的，其情况就可以掌握。治乱之气，邪正之风，可以与天地的变化相混淆，它产生于天地的变化，而又与天地的变化相混，与天命相连。《春秋》列举世间的道理，又记录下来，尽与不尽，这是王的职责。《诗经》说："天意难测啊！做君王很不容易。"就是这个道理。王不能够不知天，知天，是诗人难以办到的事，这是由于天意难见，其道难以梳理，所以明察阴阳的出入、虚实的位置，由此以观天志；分辨五行的本末、顺逆、小大、广狭，可以由此看到天道。天志于仁爱，天道也就正直，作为国君，给予、夺取、生、杀，都应该以正直为标准，这就像四时一样；安排官员设置吏长，必须根据他的能力，这就像五行；爱好仁爱而厌恶乖戾，重视道德而不远离刑狱，就好像阴阳。这就可以与天相配。所谓天道是生长万物，而王道是长育民众。王是尊贵的，能够与天地相并为三；喜好和厌恶的相互分别，就是阴阳变化的道理。他的欢喜和愤怒的产生，就是寒暑二气的相互击荡；他对于官职的委任，就是五行的道理；以这些长养于天地之间，击荡于四海之内，混淆阴阳二气，与天地相混杂。所以有人说：王能够与天地相并为三，假如真的与天地贯通，就是王化，怎么只是天地的精气呢？王也是贯通而与天地相淆，治理是以正气与天地的变化相混，动乱是以邪恶之气与天地的变化相混，二者相同则相互补益，二者相异则相互损害，就没有什么要怀疑的了。

天道施第八十二

[题解]

　　天道的内涵是施与，地道的内涵是变化，人道的内涵是礼义。圣人明察道理，以天道来统贯人道，设置礼乐制度来引导人情，发明了各种名称、概念来区别万物，使得亲疏、尊卑、远近各得其所，不相杂乱。

　　天道施，地道化，人道义。圣人见端而知本，精之至也；得一而应万，类①之治也。动其本者不知静其末，受其始者不能辞其终。利者盗之本也，妄者乱之始也。夫受乱之始，动盗之本，而欲民之静，不可得也。故君子非礼而不言，非礼而不动。好色而无礼则流②，饮食而无礼则争，流争则乱。夫礼，体情而防乱者也。民之情，不能制其欲，使之度礼。目视正色，耳听正声，口食正味，身行正道，非夺③之情也，所以安其情也。变谓之情，虽持④异物性亦然者，故曰内⑤也。变变⑥之变，谓之外。故虽以情，然不为性说。故曰：外物之动性，若神之不守也。积习渐靡，物之微者也。其入人不知，习忘乃为，常然若性，不可不察也。纯知轻思则虑达，节欲顺行则伦得，以谏争僩静为宅⑦，以礼义为道则文德。是故至诚遗物而不与变，躬宽无争而不以与俗推，众强弗能入。蜩蜕浊秽之中，含得命施之理，与万物迁徙而不自失者，圣人之心也。

名者，所以别物也。亲者重，疏者轻，尊者文，卑者质，近者详，远者略，文辞不隐情，明情不遗文，人心从之而不逆，古今通贯而不乱，名之义也。男女犹道⑧也。人生别言礼义，名号之由人事起也。不顺天道，谓之不义，察天人之分，观道命之异，可以知礼之说⑨矣。见善者不能无好，见不善者不能无恶，好恶去就不能坚守，故有人道。人道者，人之所由乐而不乱，复而不厌者，万物载名而生，圣人因其象而命之。然而可易也，皆有义从也，故正名以名义也。物也者，洪名也，皆名⑩也，而物有私名⑪，此物也非夫物。故曰：万物动而不形者，意也；形而不易⑫者，德也；乐而不乱，复而不厌者，道也。

[注释]

①类：统类。②流：放荡、放纵。③夺：改变。④持：苏舆："疑作特。"⑤内：指本性。⑥变变：应作"变情"。⑦宅：归宿。⑧道：指阴阳之道。⑨说：学说，价值。⑩皆名：指物的通名。⑪私名：独有的名称。⑫易："狂易"之"易"，随意。

[译文]

上天的准则是命施万物本性，大地的准则是承载化成万物，人的准则是行持义理。圣人看到始端便知根本，精粹到极点了；他得到一点便能应对众多，是因按照统类而治理推导的。动摇它的根本而不知道使它的枝末安静下来，接受事物的开端而不能拒绝它的终结。利益是盗窃的本源，行为不端是祸乱的开始。既然接受祸乱开始的不正当行为，摇动了盗窃的本源，而想要百姓安静，是不可能做到的。所以君子对于不合乎礼节的话就不说，不合乎礼节的事就不去做。喜好女色而且没有礼节就会放荡，饮食的时候没有礼节就会争斗，放荡争斗就会产生祸乱。礼是体察人的性情而且防止祸乱的。百姓的本性，一般不能控制自己的欲望，使自己考虑礼义。

（圣人教导人们）眼睛看正当的物色，耳朵听正当的音乐，口中吃正当的食物，身体走正当的道路，这不是强行改变人的性情，是用来安抚人的性情的。情的变化是由本性中发出的，虽然受到外物的撼动，但还是出乎本性。所以本性叫做内。改变本性的变化叫做外。因此虽然依据性情改变本性，但是不能按照原来的本性来说。所以说：依靠外面的力量改变本性，如同精神不能持守一样。养成不好的习惯，逐渐达到细微而难以察觉之处，这些细微的不良习惯渗透进人性中，人们却不觉知，坏习惯养成了，竟忘了常规，好像人的本性就是如此，这样的情况不可以不去体察。认真地认知，灵活地思考，思虑就会通达，节制欲望顺正道而行就能得到正当的次序，把纠正别人的过错和静寂作为归宿，把礼义当做原则，言行文采就具有德操了。因此内心至诚之人抛弃外物而不改变本性，自身宽大、不争斗又不参与俗人相计较，外物强大也不能进入和影响自己的内心。蜩蝉在污秽中蜕皮，包含天命施与的道理，和万物一起运动变化却不失掉自身的本性，这是圣人之心。

名称是用来区分事物的。亲近者就用重名，疏远的就用轻名，尊贵的就用文采之名，卑下的就用质朴之名，近处的用详名，久远的用略名，文辞不隐讳实情，表达实情又不遗落修饰，人们听从这种命名，而且不去悖逆它，贯通古今却不紊乱，这就是命名之道的大义。男女也具备道的属性。人出生后另外用礼义教化加以分别，名号由人命名是人类的教化之一。不顺从天的原则，称为不符合礼义，考察上天与人之间的区分，观察大道与运命的不同，可以知道礼的价值。见到善的东西不能不去喜好，见到恶的东西不能不去憎恶，喜好、憎恶、远离和亲近，因为人不能一直坚守正确的标准，所以就建立人道去约束人性。有了人道，人们就由此得到快乐而不产生祸乱，虽然重复却不厌烦，万物都有名称而存在，圣人是按照它们的特征来命名的。然而名称可以改变，都要有正当的原则所依从，所以要用正当的大义原则去正名。物是洪名，是统称之名，而每一物又有自己独有的私名，表示是这种物，而不是别的物。所以说：万物运动而不能表现出来行迹，是意；表现出来而不随意，是德行；欢乐而不狂乱，重复而不厌烦，是道义。

图书在版编目(CIP)数据

春秋繁露/(汉)董仲舒撰;叶平注译.—郑州:中州古籍出版社,2010.1 (2011.2 重印)
(国学经典)
ISBN 978-7-5348-3276-5

Ⅰ.①春… Ⅱ.①董… ②叶… Ⅲ.①儒家②春秋繁露—注释③春秋繁露—译文 Ⅳ.①B234.52

中国版本图书馆 CIP 数据核字(2009)第 235960 号

出版社:中州古籍出版社
　　　(地址:郑州市经五路66号　邮政编码:450002)
发行单位:新华书店
承印单位:河南大美印刷有限公司
开本:640mm×960mm　　1/16　　印张:15.25
字数:190 千字　　　　　　　　　印数:5 001—9 000 册
版次:2010 年 1 月第 1 版　　印次:2011 年 2 月第 2 次印刷

定价:21.00 元
本书如有印装质量问题,由承印厂负责调换。